CHÂTEAUX
EN PAYS DE
LOIRE

Ce livre a été imprimé sur du papier exempt de chlore à 100% suivant la norme TCF.

EVERGREEN is an imprint of Benedikt Taschen Verlag GmbH

© pour cette édition: 1997 Benedikt Taschen Verlag GmbH
Hohenzollernring 53, D–50672 Köln
© 1988 ATELIER D´ÉDITION «LE SEPTIÈME FOU», Genève
Images, mise en images et conception: Michel Saudan et Sylvia Saudan-Skira, Genève
Texte: Michel Melot
Couverture: Mark Thomson, Londres

Printed in Italy
ISBN 3-8228-8368-9
F

CHÂTEAUX
EN PAYS DE
LOIRE

MICHEL MELOT

EVERGREEN

1

le paysage

Des châteaux qui parsèment le Val de Loire, on ne voit plus aujourd'hui que les hautes toitures d'ardoise et les façades légèrement ornées offrant à la lumière de Touraine leur simple appareil de pierre blanche. On peut s'arrêter là, à contempler leurs reflets glorieux et les confondre tous dans une même nostalgie. Nous chercherons plutôt leur vérité ailleurs – elle n'est pas si lointaine –: dans l'outil d'oppression et de respect qu'ils furent chacun à leur manière; dans les représentations de l'autorité et de la puissance de richesses neuves qu'ils voulaient imposer aux trois ordres du royaume, et s'imposer entre eux; dans l'histoire particulière des ascensions, des ambitions et des chutes de chacun de leurs propriétaires. Et nous les poursuivrons jusque dans ces paysages confortables et ces terres douées où ils ont plongé leurs racines.

Le bassin de la Loire moyenne, entre Orléans et Angers, et particulièrement les trois vallées de la Loire, du Cher et de l'Indre, avec les plateaux bas qui les séparent, portent une densité de châteaux extraordinaire. Si l'histoire les a multipliés, la configuration des lieux et leur situation ne sont pas innocentes. Ces vallées furent, depuis la préhistoire, des voies aisées de circulation et le Val de Loire un grand boulevard par lequel communiquaient la Méditerranée et l'Atlantique. Digoin et Roanne, ports fluviaux jusqu'où les bateaux remontaient la Loire, sont à moins de cent kilomètres de Mâcon et de Lyon qu'on rejoignait par la route. A l'époque gallo-romaine déjà les bateliers de la Saône et de la Loire s'etaient unis en une seule et puissante corporation[1]. Ceux qui voulaient atteindre Paris débarquaient à Orléans, qui devint ainsi un grand nœud de commerce. Qu'on imagine donc l'intérêt grandissant de cet axe lorsque, à la Renaissance, la France, séduite par l'Italie, entreprit sa conquête, et que celle des Amériques donna un sens à l'Océan et la richesse au port de Nantes.
Ainsi, tenant à sa portée Paris, Nantes et Lyon, les trois capitales de la fortune commerçante en plein essor, la Loire, comme François Ier aimait à s'en féliciter, semblait passer comme par hasard «... par toutes les bonnes villes et pays qui soient depuis Lyon jusques en Bretagne...»[2] et reflétait «... ses lieux – Strabon l'avait déjà noté – disposés comme en vertu d'une prévision intelligente...»[3].
Une si belle texture de voies navigables à travers un pays fertile provoque aussi des sites propices aux installations humaines. La plupart des châteaux importants sont au bord de l'eau. Ils occupent tantôt un éperon rocheux déterminé par un des multiples confluents: à Amboise, entre l'Amasse et la Loire, à Blois entre la Loire et l'Arrou, sur des proéminences de faible amplitude mais de grand intérêt stratégique, dont l'étymologie a marqué l'importance: Montbazon, Montrésor, Montrichard; tantôt ils sont accrochés à une falaise crayeuse ou à un coteau en surplomb de la vallée: à Chinon sur la Vienne, à Ussé sur l'Indre, à Chaumont sur la Loire; tantôt enfin ils se dressent sur une île comme à l'Ile-Bouchard sur la Vienne ou à Azay-le-Rideau sur l'Indre. Parfois même on put envisager de drainer autour du château un cours d'eau pour en faire des douves et une voie d'accès: ainsi Léonard de Vinci jouant avec la Sauldre pour ourler les châteaux qu'il devait construire pour François Ier à Romorantin, projet qui inspira celui de Chambord au bord du Cosson[4].

Tous ces affluents forment un réseau serré de voies secondaires semées d'étapes et de gués qui donnèrent naissance à autant de communautés prospères. Le Cher, l'Indre, la Vienne sont des routes aisées et économiques pour mener à pied d'œuvre voyageurs, soldats, vivres et matériaux. Les nombreuses rivières et sous-affluents tracent aussi des chemins que suit l'habitat et qui favorisent l'agriculture et le commerce. La vallée de la Cisse, entre Tours et Blois, celle de l'Indrois au large de Loches, sont, malgré leur faible envergure, ponctuées de villages, et chaque village a son château riche des revenus immédiats de la rivière, qui comporte pêcheries, moulin et péage. Sans ces commodités de transport, les soieries de Tours, fondées par Louis XI, n'auraient pas au XVIe siècle employé vingt mille ouvriers; la «boutique du roi» qui fournissait d'armes et de vêtements les cours princières n'aurait pas enrichi si vite Jacques Coeur et ses successeurs; Charles VIII et Louis XII n'auraient pas gagné si promptement le Milanais.

Par là circulent les vins d'Orléans, les métaux du Berry, le seigle, le froment, les armures d'Italie et les fourrures d'Orient, mais aussi les matériaux de construction: la chaux, le sable et les pierres. En avril 1519, lorsqu'on pose les fondations d'Azay-le-Rideau, on paie «. . . pour les chalandiers qui ont amené de la pierre et du sable de Bourré et de Saint-Aignan, de la vallée du Cher jusqu'à celle de l'Indre, à pied d'œuvre. . . ». Des carrières de Bourré, de Lye, au bord du Cher, seront transportées aussi les pierres de Chambord[5]. La rivière est le charroi naturel de ce tuffeau de Touraine, vraie providence du maçon: la craie de Bourré si tendre et facile à monter en gros appareil, ou le calcaire de Saint-Aignan, plus dur, propre au travail des décors sculptés. Sans eux, la Touraine n'aurait pas connu les précoces envolées des voûtes romanes en plein cintre de dix mètres de portée à Saumur, ni les parois des donjons qui atteignirent trente-six mètres de hauteur à Beaugency, trente-sept à Loches.

L'ardoise d'Angers, prélevée à Trélazé où le schiste armoricain affleure en couches feuilletées, remonte aussi la Loire sur des trains de «gabares», ces bateaux plats qu'emporte le fort courant vers l'aval et dont le vent de mer pousse les voiles triangulaires vers l'amont. Les marins de Loire forment une forte corporation qui siège à Orléans. Ils doivent de Nantes à Roanne traverser deux cents péages et s'en exemptent en nature selon leur cargaison, ou en criant trois fois «Je meyne ardoise»[6] et en jetant des ardoises à l'eau afin de les bien montrer et de bénéficier de la franchise.

Roger Dion a écrit que «. . . le rôle de la Loire et de ses grands affluents avait moins été de façonner des reliefs que de transformer et de créer des sols. . . »[7]. Il est vrai que la Loire, ne rencontrant que des terrains tendres, s'étale dans un lit large, incertain et souvent rectiligne, d'abord dans les alluvions détritiques apportées du Massif Central et qui forment les sols spongieux de la Brenne et de la Sologne, puis à travers les calcaires presque neufs qu'elle taille en falaises lorsque la couche «turonienne» recouvre, en amont de Tours, la couche «sénonienne» plus dure qui marque l'extrémité sud du bassin parisien, dans les marnes et les sables enfin qui nappent en Anjou les premiers contreforts granitiques de la Bretagne.

Sur ces terres, les eaux trouvent facilement un lit et l'argile, sous le calcaire, les retient; les sources sont nombreuses, l'habitat sans contrainte. A l'orée des plateaux qui surplombent de peu la vallée, les belles forêts de chênes offrent le gibier et le bois qui viennent compléter des ressources déjà abondantes. Les forêts de Blois, de Loches ou de Chinon fournissaient les poutres et les coffrages. On en faisait des moules pour monter les voûtes, des charpentes immenses, qu'on voit encore, presque intactes, à Blois ou à Fougères-sur-Bièvre, dans ce petit château proche de la forêt. Ainsi, bien approvisionné en sable, en ardoise, en pierre calcaire de différentes qualités, en bois de chêne, servi par des cours d'eaux nombreux, le Val de Loire semblait prédestiné à n'être qu'un chantier.

La Loire irrégulière divaguant dans un lit trop mou et changeant, se perdant parfois dans des lits secondaires et des bras morts, on décida, dès l'époque de Henri II Plantagenêt en Anjou, d'en contenir le cours par des digues de terre qui protégeraient les fertiles terrains qu'elle vient inonder chaque printemps et qui pourraient être colonisés par des exploitations petites mais

riches. Ces «levées» ou «turcies», où durent s'épuiser des générations de serfs soumis à la corvée, ont modelé le paysage des bords de Loire sur presque tout son cours[8]. Mais le but agricole ne fut pas le seul atteint, car la richesse des sols devint vite accessoire devant l'essor du commerce et le développement des villes. Les levées devinrent plus une route au long du fleuve qu'un rempart contre ses excès et, lorsque Louis XI ordonna de les prolonger entre Blois et Tours, il s'agissait moins de gagner de nouvelles cultures et de peupler de nouveaux villages que de relier par une voie commode des villes qui étaient devenues parmi les plus actives du royaume. Les routes modernes empruntèrent longtemps ce chemin parallèle à celui des bateaux et supportant en plus d'un point la voie ferrée qui, après 1850, condamna la navigation à mort. Grâce à cette trame déjà tirée par la géographie et relevée par les travaux, la civilisation urbaine et bourgeoise qu'appelaient les débuts de l'industrie et du commerce trouvait dans le bassin de la Loire, large creuset où semblaient être drainées beaucoup de richesses, tous les outils nécessaires à son épanouissement et à ses échanges.

Les alluvions fertiles de toutes ces vallées rendent le sol propice aux cultures précieuses, fruits, légumes et fleurs, auxquelles la présence de la cour et l'enrichissement de la bourgeoisie des villes offraient un marché grandissant. De cette spécialisation de l'agriculture lui vint cette appellation «Jardin de la France» donnée par Rabelais et attestée déjà dans le plus ancien guide des routes de France, au milieu du XVIe siècle. C'est dans les jardins plus encore que dans l'architecture que se déploya en France l'image de l'Italie[9]. Charles VIII en avait été frappé et, parmi les premiers artistes «importés» d'outre-mont, figurent des jardiniers, dont Pacello da Mercogliano à qui fut confié le remodelage des jardins d'Amboise et de Blois. On importa aussi le melon et l'artichaut, qui vinrent s'ajouter aux spécialités déjà réputées du Val en asperges, pruneaux, vins d'Orléans, poires, sans oublier cette prune ambrée à qui la reine Claude de France, femme de François Ier, laissa son nom.

De telles cultures ne sont pas extensives, elles s'accordent à un pays de petites propriétés, à l'habitat épars, aux produits denses.

Entre Tours et Chinon, les vallées de la Vienne, de l'Indre et du Cher viennent rejoindre celle de la Loire en une succession de confluents qui enrichissent particulièrement une région grasse. Là se cumulent cultures industrielles et vivrières, le chanvre, les fruits et les légumes. Pays de petites propriétés qu'on travaille à la bêche mais où deux hectares font vivre une famille. Ce sont les «varennes» qui prolongent, au-delà des terrains submersibles qui bordent les vallées évasées, les terres alluviales, guère moins riches qu'elles, lorsqu'elles sont bien cultivées. Au-delà des varennes, c'est le plateau, le large plateau de Sainte-Maure entre l'Indre et la Vienne par exemple, pays de plus pauvres labours, plus austère, où apparaissent des landes et, vers le Berry, «les bruyères et les brandes».

Dans ces régions de petits propriétaires, généralement aisés, le châtelain n'est pas avant tout, contrairement à beaucoup d'autres, un grand possesseur de terres. Si le seigneur était un défenseur nécessaire pour ces paysans dispersés indépendants, son rôle économique n'est pas prédominant. Voilà pourquoi peut-être ce pays ne fut pas soumis sans réserve à quelques grands feudataires. Le seigneur, ici, c'est le roi, et les châtelains du XVIe siècle y seront souvent des officiers de cour, enrichis par le commerce et la finance, profondément liés à la ville et très occasionellement au terroir. La châtellenie ne sera que leur enseigne, leur maison de campagne et, s'il le faut, leur retraite fortifiée en cas de revers; mais surtout, le vieux manoir féodal tombé en désuétude leur servira de légitimité dans l'assimilation à la vieille chevalerie qui reste le seul modèle de leur pouvoir récent et fragile.

Dans ces pays de bas plateaux et de vallées légères, la conquête est facile. Elle est à redouter d'autant plus que la richesse est un attrait et que la propriété morcelée laisse les paysans sans défense. Le château les rassemble et les protège et, à défaut d'aspérités naturelles, est indispensable pour surveiller les terres, commander les passages, dissuader l'ennemi et le contenir s'il attaque. Les châteaux de Touraine, dont presque chacun reprend le site d'une ancienne forteresse, sont un semis d'obstacles et de balises dans une région convoitée, stratégique pour le commerce, trop promptement accessible et trop complaisamment offerte à tout envahisseur.

Amboise
Tours
Nicolas Tassin, *Plans et profils de toutes les principales villes ... de France*
Paris 1631

... « En tirant d'Orléans à Blois
L'autre jour par eaue venoye;
Si rencontray, par plusieurs foiz,
Vaisseaulx, ainsi que je passoye,
Qui singloient leur droicte voye,
Et aloient legierement,
Pour ce qu'eurent, comme veoye,
A plaisir et à gré le vent...

Les nefs dont cy-devant parloye
Montoient, et je descendoye
Contre les vagues de tourment:
Quant il lui plaira, Dieu m'envoye,
A plaisir et à gré le vent. » ...

Charles d'Orléans (1394-1465), *Poésies*.

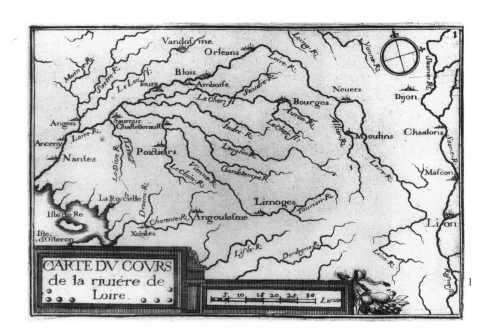

LE FLEUVE, LA LOIRE ET SES LEVÉES

3

«Carte du cours de la rivière de Loire»   1.
Nicolas Tassin, *Plans et profils de
toutes les principales villes ... de France*
Paris 1631

La Loire:
Levée entre Amboise et Tours   2.
Ancien quai de déchargement à Bréhémont   3.   11

LES COTEAUX

... «Mes regards cherchaient avec avidité ces aspects tellement vantés des bords de la Loire; je ne voyais que de petits
peupliers et des saules, pas un arbre de soixante pieds de
haut, pas un de ces beaux chênes de la vallée de l'Arno, pas
une colline singulière. Des prairies fertiles toujours, et une
foule d'îles à fleur d'eau, couvertes d'une forêt de jeunes
saules de douze pieds de haut, dont les branches fort
minces et pendantes se baignent dans le fleuve. C'est entre
ces îles verdoyantes, mais non pittoresques, que le bateau à
vapeur cherchait sa route. Nous apercevions assez souvent
les tourelles de quelque château de la renaissance, situé à
cinq cents pas du fleuve.» ...

Stendhal, *Mémoires d'un touriste*, 1838.

1

2

Château de Saumur   1.
fin XIVe s. pour Louis Ier, duc d'Anjou
fortifié au XVIe s. par Duplessis-Mornay

Château de Chaumont   2.
dès 1469 pour Pierre d'Amboise – 1510 – aile ouest

1

LES RIVIÈRES,

2

LE LOIR ET LE CHER

Saint-Aignan (Loir-et-Cher)
1. Pont sur le Cher

Vendôme (Loir-et-Cher)
2. Pont sur un bras du Loir

Montrichard (Loir-et-Cher)
3. Pont sur le Cher

. . . «Quel passe-temps prends-tu d'habiter la vallée
De Bourgueil où jamais la Muse n'est allée?
Quitte-moy ton Anjou, et viens en Vendômois:
Là s'eslevent au ciel les sommets de nos bois,
Là sont mille taillis et mille belles plaines,
Là gargouillent les eaux de cent mille fontaines,
Là sont mille rochers, où Echon à l'entour,
En resonnant mes vers, ne parle que d'amour.» . . .

Pierre de Ronsard,
Le Voyage de Tours,
dans *Les Amours*, Livre II, 1553.

3

...«Ces landes plates et sablonneuses, qui vous attristent durant une lieue environ, joignent par un bouquet de bois le chemin de Saché, nom de la commune d'où dépend Frapesle. Ce chemin qui débouche sur la route de Chinon, bien au delà de Ballan, longe une plaine ondulée sans accidents remarquables, jusqu'au petit pays d'Artannes.
Là se découvre une vallée qui commence à Montbazon, finit à la Loire, et semble bondir sous les châteaux posés sur ces doubles collines ; une magnifique coupe d'émeraude au fond de laquelle l'Indre se roule par des mouvements de serpent. »...

Honoré de Balzac, *Le Lys dans la Vallée*, 1839.

1

2

LA VIENNE ET L'INDRE

L'Indre
entre Saché et Pont-de-Ruan   1.
près de Rigny-Ussé   3.

La Vienne
entre l'Ile-Bouchard et Chinon   2.

3

... «Près de Blois, une grande forêt, qui a plus de onze lieues en longueur et de quatre en largeur, contient plusieurs maisons de plaisance construites par différents rois: les espèces des bêtes fauves y abondent; il y a entre autres une biche dont les cornes ne sont pas moins admirables que celles dont j'ai parlé plus haut: c'est pourquoi il est défendu de lui courir sus, et l'on a pour elle toutes sortes d'égards, comme pour une merveille véritable.» ...

André Navagero,
Voyage d'André Navagero en Espagne et en France, 1528.

LES MATÉRIAUX,

1

2

LE BOIS DES FORÊTS DE CHÊNES

3

Parc de Chambord (Loir-et-Cher)
1. Forêt en automne

Amboise (Indre-et-Loire)
Manoir du Clos-Lucé – 1477
2. Poteau et poutre de la galerie

Château de Fougères-sur-Bièvre
dès 1475 pour Pierre de Refuge – 1520
3. Tour d'angle, charpente de la poivrière

. . . «Ecoute, bûcheron, arrête un peu le bras:
Ce ne sont pas des bois que tu jettes à bas;
Ne vois-tu pas le sang, lequel dégoutte à force
Des Nymphes qui vivaient dessous la dure écorce?

Forêt, haute maison des oiseaux bocagers
Plus le cerf solitaire et les chevreuils légers
Ne paîtront sous ton ombre et ta verte crinière
Plus du soleil d'été ne rompra la lumière»...

Pierre de Ronsard,
Élégie sur la forêt de Gastine, 1584.

LES CHARPENTES

1

2

Château de Fougères-sur-Bièvre
dès 1475 pour Pierre de Refuge – 1520
Charpente du logis en carène renversée   1.

Château de Blois
Aile François Ier – 1515–av. 1524
Combles, charpente en carène renversée   2.

21

... «Mais ce que la Loire a de plus pittoresque et de plus grandiose, c'est une immense muraille calcaire mêlée de grès, de pierre meulière et d'argile à potier, qui borde et encaisse sa rive droite, et qui se développe au regard, de Blois à Tours, avec une variété et une gaieté inexprimable, tantôt roche sauvage, tantôt jardin anglais, couverte d'arbres et de fleurs, couronnée de ceps qui mûrissent et de cheminées qui fument, trouée comme une éponge, habitée comme une fourmilière.

Il y a là des cavernes profondes où se cachaient jadis les faux monnayeurs qui contrefaisaient l'E de la monnaie de Tours et inondaient la province de faux sous tournois. Aujourd'hui les rudes embrasures de ces antres sont fermées par de jolis châssis coquettement ajustés dans la roche, et de temps en temps on aperçoit le gracieux profil d'une jeune fille bizarrement coiffée, occupée à mettre en boîte l'anis, l'angélique ou la coriandre. Les confiseurs ont remplacé les faux monnayeurs.» ...

Victor Hugo, *En Voyage, Alpes et Pyrénées*, 1843.

LE TUFFEAU DE TOURAINE

1

2

3

4

Bourré (Loir-et-Cher)
Ancienne carrière de tuffeau   1.

Château de Chambord
Le Donjon – 1519–1539 pour François Ier
Salle des gardes, modillon à volutes   2.

Saumur (Maine-et-Loire)
Hôtel de ville – XVe s.
Cul-de-lampe d'une tourelle d'angle   3.

Trèves-Cunault (Maine-et-Loire)
Ferme fortifiée, trompe de l'échauguette   4.

... «Heureux qui, comme Ulysse, a fait un beau voyage,
Ou comme cestuy là qui conquit la toison,
Et puis est retourné, plein d'usage & raison,
Vivre entre ses parents le reste de son aage!
Quand revoiray-ie, helas, de mon petit village
Fumer la cheminee: & en quelle saison
Revoiray-ie le clos de ma pauvre maison,
Qui m'est une province, & beaucoup d'avantage?
Plus me plaist le seiour qu'ont basty mes ayeux,
Que des palais Romains le front audacieux:
Plus que le marbre dur me plaist l'ardoise fine,
Plus mon Loyre Gaulois, que le Tybre Latin,
Plus mon petit Lyré, que le mont Palatin,
Et plus que l'air marin la doulceur Angevine.» ...

Joachim du Bellay, *Les Regrets*, 1558.

L'ARDOISE D'ANGERS

1

2

3

4

Château de Blois
Toits de la ville vus de la terrasse 1.
Aile Louis XII – 1498–1504 – lucarne 3.

Château d'Azay-le-Rideau
1518–1527 pour Gilles Berthelot
Toiture ouest, cheminées 2.

Château de Fougères-sur-Bièvre
dès 1475 pour Pierre de Refuge – 1520
Toiture du logis, lucarne 4.

LA BRIQUE D'APPAREILS VARIÉS

Tours (Indre-et-loire)
Hôtel de la Petite Bourdaisière
détail de l'appareil de briques   1.

Château du Moulin
1490–1506 pour Ph. du Moulin
Logis, détail façade sud-est   2.
Façade sud-ouest, décor
en losanges et marelle   3.

... «Pourquoi, dans nos palais, nos châteaux, nous priver de l'emploi des terres cuites émaillées, et nous en tenir toujours à l'extérieur, à ces parements de pierre d'un aspect triste et froid, surtout dans notre climat. En employant judicieusement les faïences et même les enduits peints dans des parties abritées, on pourrait faire une économie suffisante sur la pierre pour compenser la plus-value occasionnée par ces revêtements. Les architectes de la renaissance, en Italie et même en France, ne se sont pas fait faute d'employer, dans leurs maçonneries, ces moyens à la fois décoratifs et économiques, et ils respectaient assez la pierre pour ne pas la prodiguer inutilement. » ...

Viollet-Le-Duc, *Entretiens sur l'architecture*,
Onzième entretien, 1872.

LA MOSAÏQUE DES MATIÈRES

2

Château de Mortier-Crolles
fin XVe s. pour Pierre de Rohan, maréchal de Gié
1.   Tours du châtelet vues des douves

Château des Réaux
Aile ouest – 1495–1559 pour la famille Briçonnet
2.   Logis avec tours du pavillon d'entrée et donjon

Château de Montpoupon
dès 1320 pour la famille de Prie
1. Logis et pavillon d'entrée – début XVIᵉ s.

2. Les Vendanges
Tapisserie française – v. 1500
Paris, Musée de Cluny

Château de Montrésor
dès 1493 pour Imbert de Bastarnay,
seigneur de Bridoré – fin XVIᵉ s.
3. Logis seigneurial – début XVIᵉ s.

... « Rien ne lui manque ; c'est le coeur de la Touraine, qui est la partie la plus grasse de la France ; les pâturages sont excellents pour les bestiaux, qui fournissent de la viande et des laitages très estimés ; les vins et les fruits sont les meilleurs de France ; ajoutez à cela le blé, le bois, les fourrages. Tout le pays est fertile, bien cultivé et couvert d'ombrages ; la richesse s'y joint à l'agrément. On a du poisson, non seulement de la rivière, mais de la mer, par Nantes, qui n'en est pas loin. » ...

Jérôme Lippomano, *Voyage de Jérôme Lippomano*, 1577.

LE CHÂTEAU DANS SON PAYSAGE

1

2

Château du Coudray-Montpensier
dès 1380 pour Louis Ier d'Anjou
fin XVe siècle
Vue depuis les coteaux de Seuilly   1.

Retour de chasse   2.
Tapisserie française – v. 1500
Paris, Musée de Cluny

Château d'Ussé
seconde moitié XVe s. – 1535
pour Jean V de Bueil et la famille d'Espinay
Vue de la face nord   3.

...«Connaissez-vous cette contrée que l'on a surnommée le jardin de la France, ce pays où l'on respire un air pur dans des plaines verdoyantes arrosées par un grand fleuve? Si vous avez traversé, dans les mois d'été, la belle Touraine, vous aurez longtemps suivi la Loire paisible avec enchantement, vous aurez regretté de ne pouvoir déterminer, entre les deux rives, celle où vous choisiriez votre demeure, pour y oublier les hommes auprès d'un être aimé... Des vallons peuplés de jolies maisons blanches qu'entourent des bosquets, des coteaux jaunis par les vignes, ou blanchis par les fleurs du cerisier, de vieux murs couverts de chèvrefeuilles naissants, des jardins de roses d'où sort tout à coup une tour élancée, tout rappelle la fécondité de la terre ou l'ancienneté de ses monuments et tout intéresse dans les œuvres de ses habitants industrieux»...

Alfred de Vigny, *Cinq-Mars*, 1826.

3

2   l' héritage

Un château, ça sert d'abord à faire la guerre. Cette terre paisible dont on vante la richesse et la douceur fut le cœur même des violences au milieu desquelles la France a pris corps. Il serait naïf de ne voir dans les châteaux de la Loire que la guirlande d'un jardin perpétuel, et dans leurs dispositifs guerriers, même les plus atrophiés, des décors d'opérette. Non; on s'est battu ici comme ailleurs avec sauvagerie: la guerre de Cent Ans, les guerres de Religion en ont fait leur théâtre. La défense était vécue par tous, villageois et seigneurs, comme une nécessité, l'insécurité comme une seconde nature.

Presque tous les châteaux, si gracieux, sont les bâtards des forteresses qui en restent, jusqu'à Chambord, avec leur donjon massif et leurs festons de mâchicoulis, le modèle dominant, de même que la société féodale fondée sur la puissance guerrière demeure le modèle dans lequel doit se loger la classe ascendante des puissances d'argent. Des seigneurs de la guerre, les marchands enrichis devaient reprendre coutumes et privilèges, titres et biens, et les châteaux aussi. Les seigneurs devaient se défendre et, pour perpétuer leur existence, perpétuer leurs châteaux; ils continuèrent donc à reproduire le modèle du château-fort, lorsqu'ils le pouvaient encore. Les nouveaux riches de la Cour et du commerce n'ont pas de statut propre; ils sont liés au roi et, pour exister, doivent créer avec lui les seuls liens reconnus alors de vassal à suzerain, qui passent par la possession du château: ils commencent donc par imiter les châteaux des chevaliers dont mouvaient les terres et relevait la justice, et la métamorphose de l'architecture va suivre pas à pas le renouvellement social de la classe dominante. Quant au roi, il est seul à pouvoir innover, seul à n'avoir point de modèle obligé.

Pour dominer les terres convoitées du bassin de la Loire, la lutte fut terrible, au temps où les seigneurs de Blois et d'Anjou, Eudes et Foulques, se disputaient, vers l'an mille, la Touraine. Personnages farouches aux noms encore menaçants, Thibaut le Tricheur, comte de Blois, Bouchard Chauve-Souris et Bouchard le Vénérable, de Vendôme, Roger le Petit-Diable qui gardait Montrésor, Geoffroy Martel, comte d'Anjou, contemporain de Guillaume le Conquérant et bâtisseur de Lavardin. La guerre fut déchaînée entre Eudes Ier et Foulques Nerra, «le faucon noir», qui verrouilla ses conquêtes des tout premiers donjons de pierre qu'on vit dans ce pays, à Langeais tout d'abord, ensuite à Loches, Montbazon et Montrichard. Les premiers châteaux de la Loire ont été des boucliers de bois, puis au cours du onzième siècle, de pierre, carrés d'abord, primitifs, sans autres fenêtres que des meurtrières, sans autre porte qu'une ouverture perchée à laquelle on ne pouvait accéder que par une échelle, retirée dès l'alerte.

Tels sont les ancêtres des châteaux de la Loire, qu'on voit encore, ruinés sur une motte, mais dont la conservation doit plus encore au respect qu'au hasard. Leurs parents directs sont les châteaux de la guerre de Cent Ans, lorsque le dauphin Charles, en juin 1418, chassé de Paris par la guerre civile, s'en fut chercher refuge sur ses propres terres de Touraine où une population fidèle, à Tours, et une solide forteresse, à Chinon, pouvaient lui offrir encore un nouveau royaume. Les Bourguignons attaquent même cette région: en 1417, ils ont pris Tours. Pour aller de Tours à Chinon, la cour prend l'ancienne voie de Grandmont, passe par Turpenay et Rivarennes et doit traverser l'Indre au gué de Port-Huault, à Cheillé, où Jeanne d'Arc passera dans l'autre sens en avril 1429, dix ans plus tard, pour aller de Chinon à Tours.

Le roi traverse juste après le bourg d'Azay-sur-l'Indre, encore aux mains de ses ennemis. Il doit se battre et, vainqueur, brûler le bourg et le château, et pendre à ses créneaux les 354 soldats vaincus. Alors «...les habitants délaissèrent ledict lieu et s'en allèrent demourer autre part et est ledict lieu demouré presque inhabité...»[10].

Le roi Charles VII dut autoriser en 1442 de «... fortiffier et emparer lesdict lieu et place d'Azay de murs, tours, tourelles, barbacanes, eschiffres, pons-leveiz, fossez, paliz et autres fortifficasions et emparemens quelconques nécessaires à ladicte fortificasion pour la seurté, garde et défense dudit lieu d'Azay et desdits supplians...»[11].

Le roi, replié à Bourges, n'est pas démuni. Chassé par les marchands de Paris qui ont fait alliance avec les Anglo-Bourguignons, il est encore un roi puissant. C'est en 1423, cinq années plus tard, que viendront les heures sombres de la retraite et de la défaite, avant que la reconquête ne soit menée dans les années 1430 et Paris reconquis en 1436, mais non concilié – le roi gouvernera toujours à distance de la capitale.

Il installe donc à Bourges une cour digne de celle des autres princes et une administration remarquable. Il y est protégé par ses terres et celles de ses alliés: les riches Angevins, rois de Naples et de Provence, et le très riche duc de Bretagne que le commerce des côtes et l'industrie du pays fortifient. Mais lorsque Bourges est menacée à son tour par les Bourguignons, le roi peut croire à la défaite. Il n'a d'autre refuge que celui des vieux donjons tourangeaux dans lesquels il séjournait parfois: Chinon, Amboise, les Roches-Tranchelion. Il s'y barricade, mais aucun de ces châteaux n'est équipé pour recevoir une cour et une administration développée qui réclame offices et bureaux. Il se rapproche de Tours, ville fidèle et prospère, qui peut fournir argent et officiers, et s'installe «aux Montils», l'actuel Plessis-lès-Tours dont Louis XI fera sa résidence préférée. Et c'est donc au manoir des Montils que le roi reçut les ambassadeurs anglais qui, en 1444, négocièrent la fin de la guerre de Cent Ans. Pour oublier cette guerre, il fallut encore un autre siècle.

C'est au revers des châteaux-forts, et littéralement à leur ombre, qu'éclot une architecture plus précieuse, car les cours s'enrichissaient, et plus déployée, car elles s'agrandissaient. On voit encore à l'abri des remparts de Nantes, capitale des ducs de Bretagne, l'élégant escalier timidement ouvert de baies qui dessert le logis. De même à Châteaudun, le logis de Dunois, et de même à Angers, celui du roi René. Pour que la métamorphose fût complète, il fallait que le rempart, comme une carapace morte, tombât. A Amboise et à Loches, les «logis du roi», grandes maisons simples, contrastent avec les fortifications et s'y appuient ou les surplombent, pour être hors d'atteinte. Ainsi voit-on sur les miniatures du duc de Berry qui représentent ses fiers châteaux, Saumur ou Mehun-sur-Yèvre, les plus hautes coursives empanachées de constructions luxueuses, de vitrages, de ferronneries, de terrasses. A Chambord, on se souvient encore de ces dispositions altières où le luxe s'épanouit au sommet des tours inaccessibles; mais là, les mêmes constructions faites pour le plaisir s'étalent sur des tours peu élevées, qu'on a bien négligé de garnir de créneaux. On peut donc dire que les premiers châteaux de la Loire ne furent qu'une adaptation des vieux châteaux princiers, lorsque les princes s'enrichirent. Cependant leur histoire ne fait alors que commencer, car une situation politique nouvelle du royaume allait conduire à la reconversion des cours, des charges, des pouvoirs et, aussitôt, de l'architecture que voulaient ses acteurs pour y jouer leur rôle.

Ce que les châteaux de la Loire ont hérité de leurs ancêtres militaires, c'est tout d'abord leur site stratégique et les abords immédiats qui comportent une aspérité abrupte, un fossé ou une rivière propre à l'isoler. L'actuel château d'Azay n'occupe pas la place du vieux château-fort, mais celui d'un manoir qui, bâti sur une île, sur un terrain inondable, avait des douves naturelles, le cours de l'Indre, endigué de moulins, où alternent les biefs profonds, vaseux, les bras secondaires encombrés de joncs et de roseaux et un cours principal à la pente deux fois plus forte que celle de la Loire, qui peut être parfois presque torrentueux. Longtemps encore, en pays de plaine, les larges douves sont considérées comme la plus élémentaire des protections et s'élargissent même d'une portée de canon comme au Plessis-Bourré ou plus tard encore à Villegongis, devenant un miroir plus qu'un fossé, de même que le plan d'eau d'Azay fut aménagé, bien plus tard, pour le seul repos des yeux.

Si l'héritage est bien souvent masqué, il ne faut pas s'y laisser prendre. Les seigneurs du début du XVIe siècle, ceux de la guerre comme ceux de la finance ont, pour des raisons différentes, toujours besoin de fortifications. La période de paix intérieure que connut le royaume sous Louis XII et sous François Ier a pu faire croire que le château se passerait bien de son appareil guerrier. Or il subsiste, même s'il s'atrophie, et la demande, hors de tout contexte féodal, demeure, y compris de la part de nouveaux courtisans, officiers, financiers qui habillent de neuf les vieux manoirs. Ils ont pour cela deux séries de raisons: l'une symbolique, l'autre pratique.

La signification symbolique des fortifications n'a pas vieilli: c'est toujours au manoir et à ce qui le caractérise – la tour, le pont-levis, les fossés – que sont attachés le pouvoir sur la terre et l'autorité sur les gens. Qui possède le château est maître de la justice. Le château, c'est moins un bâtiment qu'un chef-lieu de seigneurie. Son propriétaire règne sur tout un territoire «... ainsi que l'âme subsiste et exerce sa force en toutes les parties du corps... » dit le juriste Loyseau dans le *Traité des Seigneuries* [12]. Les officiers de finance qui briguent la noblesse sont d'autant plus attachés à ces signes extérieurs qu'ils leur sont nécessaires pour affirmer leur force devant les populations qu'ils ont pour tâche de faire obéir à l'impôt. Comme les nouveaux riches sont les plus ostentateurs, les nouveaux nobles, ou candidats à la noblesse, sont souvent les plus attachés aux formes pourtant désuètes de l'architecture féodale. Le banquier Bernard Salviati, le père de la Cassandre de Ronsard, qui œuvrait à la cour, dans la ville de Blois, possédait dans les environs le vieux château de Talcy; il le réaménagea avec une galerie intérieure plutôt moderne, à l'italienne, mais pour l'extérieur il sollicita, vers 1520, l'autorisation de le fortifier par «... des murs, tours, créneaux, barbacanes, canonnières, mâchicoulis, pont-levis, boulevards et autres choses défendables servant à maison forte...»[13]. Ce qui lui fut accordé mais à condition que «...au moyen desdites fortifications il ne puisse en quelque manière que ce soit se dire seigneur châtelain ni avoir droit de guêt et de garde...»

Plus que le château même, c'est l'image du château qui compte à leurs yeux et le bâtiment neuf doit, pour y correspondre, épouser le modèle dominant. Les plus puissants sont les moins concernés: à son immense château de Bury, près de Blois, aujourd'hui détruit, Florimond Robertet ose, comme le roi lui-même, transformer en galerie une aile d'entrée du quadrilatère, par ailleurs encadré, comme le sera Chambord, de fortes tours qui sont devenues symboliques.

Si les formes du château-fort persistent dans une architecture qui n'a plus rien, dans ses fonctions, de militaire, c'est aussi et d'abord pour des raisons plus simples de sécurité. Les campagnes ne sont pas sûres et, contre les bandes de brigands, une fortification, si archaïque soit-elle au temps de l'artillerie, est toujours efficace. Ainsi Gilles Berthelot, le nouveau seigneur d'Azay-le-Rideau, demanda-t-il au roi l'autorisation de fortifier le bourg et la chapelle d'Azay contre «...les mauvais garçons, larrons publics, espieurs de grands chemins et autres vagabonds mal vivants qui font souvent grandes noises, larcins, outrages à l'occasion que ledict bourg n'est clos ni fermé de portes et de murs et les dessus nommés peuvent se retirer après qu'ils aient délinqué dedans les grandes forêts de Chinon...»[14]. Ce n'était pas vaine précaution: le 8 janvier 1515, des bandes semèrent la panique en lançant dans Azay-le-Rideau une attaque que les habitants repoussèrent[15]. Au château symbolique qui légitime l'autorité de son propriétaire, il n'était pas mauvais que se confonde une maison forte qui assure sa retraite. Car ces hommes de finance ne sont pas de tranquilles bureaucrates. La force royale leur est déléguée puisqu'ils ont la charge de lever les impôts, dont ils tirent leur propre fortune. Ils peuvent avoir recours à la violence et en sont, pour autant, payés de retour. Ils sont haïs. Il n'est pas rare que des révoltes éclatent contre eux. Les biens qu'ils prélèvent au cours de leurs grandes chevauchées ont tout l'air d'un butin. Quoi d'étonnant alors à ce que leur château soit défendu comme l'est un coffre-fort? Plus tard, pendant le XVIe siècle, les guerres de Religion devaient remettre en service les vieilles fortifications et récompenser ceux qui les avaient bien entretenues. Théodore de Bèze raconte comment, le 8 juillet 1561, une troupe de six à sept cents «fanatiques» se rua sur le bourg d'Azay où une trentaine de personnes s'étaient retirées dans l'église protestante[16]. Massacres et pillages se succédèrent dans toute la Touraine jusqu'en avril 1568.

Parmi les attributs chargés de signification sociale qui distinguent un château, le principal est sans doute le donjon, la grosse tour; c'est d'elle que dépend le fief, à elle qu'est attachée la justice. Aussi la garde-t-on avec

Mâchicoulis:
Église de Royat
Porte du roi René à Tarascon
E. Viollet-le-Duc, *Dictionnaire raisonné de l'Architecture française...*, 1854–1868

fierté, quand bien même son rôle protecteur a presque disparu. C'est moins une tour qu'un monument, symbole de domination et de surveillance, qui rivalise dans cet ordre avec le clocher ou avec le beffroi. Lorsque le château se modernise, on prend soin de préserver la grosse tour: à Châteaudun, elle se dresse isolée, comme une colonne votive, dans la cour dégagée. A Chenonceaux, le château des Bohier la délaisse aussi mais elle est pieusement conservée à l'écart, vestige symbolique de l'ordre féodal, à son tour allégée par une travée de fenêtres ornées. Mais le plus souvent, le nouveau château s'incorpore la vieille tour et s'appuie sur elle, comme s'il en tirait son sens et son énergie. A Azay-le-Rideau, la plus grosse des tours, celle du nord, qui flanque un angle du château tout neuf est bien, sous l'apparence anodine que lui a donnée sa reprise au XIXe siècle, la vieille construction du Moyen Âge, d'où semble avoir germé le château de la Renaissance. Son intégration posa quelques problèmes au maître d'œuvre qui dut bâtir un mur en diagonale pour la rattraper sur les assises de la nouvelle construction, ce qui montre quel prix on attachait à sa préservation. A Chaumont-sur-Loire, la tour d'Amboise, qui surveille la Loire, conserve à l'aile qu'elle domine la vraie allure d'une forteresse: elle dut convenir à Diane de Poitiers, qui, exilée par Catherine de Médicis, fit remettre en état et orner à ses armes le vieux chemin de ronde, par défi ou pour sa sécurité, entre 1560 et 1566[17].

Ces assises guerrières forment le noyau dur de presque tous les châteaux même si, remaniés et ouverts, on n'en remarque plus la rigueur. Les vieux remparts de Blois, flanqués de la tour de Châtellerault à l'ouest, ne furent pas détruits mais complètement rhabillés sous cette façade d'apparat de loges à l'italienne que François 1er et Claude de France firent plaquer sur elle et dont ils demeurent toujours comme l'épine dorsale.

Les châteaux de la Loire sont bien des châteaux-forts. La grâce qu'on admire à la terrasse de Chaumont, largement échancrée sur la Loire, ou encore aux tourelles d'Ussé, ouvertes sur la vallée de l'Indre, est trompeuse pour l'histoire: elle est due à la destruction par un propriétaire plus tardif – l'aile nord fut abattue au XVIIe siècle à Ussé et au XVIIIe siècle à Chaumont – d'une aile qui fermait, sur le côté le plus pittoresque, le vieux et sombre quadrilatère du château-fort. Les murs d'Azay-le-Rideau, s'ils avaient été achevés, auraient probablement rejoint la grosse tour par l'autre côté et fermé la perspective qu'offre aujourd'hui la charmante équerre qui seule fut construite.

Les plus récents châteaux de la Loire marquent en revanche une désaffection pour leur sécurité au profit de leur confort. L'aile d'entrée s'atrophie jusqu'à n'être plus qu'une galerie, un accueil et non une défense. Les tours d'angle qui commandaient l'édifice s'adoucissent en pavillons carrés à l'allure de maisonnettes.

Ainsi à Chambord, dernier des grands châteaux de la Loire, la toiture des tours latérales vient se poser sur les corniches sans même la précaution indispensable du chemin de ronde traditionnel avec ses archères, ses créneaux et ses mâchicoulis que respectèrent encore les architectes d'Azay-le-Rideau, de L'Islette et longtemps après ceux du Lude, de Valençay, et même de Villegongis.

C'est aussi que tout autre est la situation du roi de France, qui règne, depuis Louis XII, d'une façon incontestée sur l'ensemble de ses vassaux. Seul le roi se permet d'abattre la grosse tour qui encombre la cour du château, à Bourges, à Blois, au Louvre enfin, cette tour nationale dont, disait-on, « ...mouvaient tous les fiefs du royaume... »[18].

A cette évolution de l'architecture royale qui se libère au moment où se transforme la suzeraineté contestée et belliqueuse en monarchie absolue, s'oppose le conservatisme architectural des féodaux eux-mêmes, attachés aux pouvoirs et aux privilèges inscrits dans les formes du château-fort. Entre les deux, le pouvoir grandissant de l'argent, dû à l'enrichissement du royaume, à l'essor du commerce et de l'usure, profite à quelques notables qui, dans l'ordre social, n'ont pas encore de place spécifique, et dont les demeures luxueuses se rapprochent de celles du roi qu'ils servent avec zèle, tout en conservant l'allure des châteaux de la chevalerie à laquelle ils sont contraints de s'identifier encore. L'histoire des châteaux de la Loire est celle de cette collusion politique.

...Le choix du site est essentiel dans l'architecture militaire: les châteaux
de la Loire en conserveront le cadre d'un coteau ou d'une rivière...

3

LE CHÂTEAU INACCESSIBLE

« Vue de la ville et du château de Chinon... » 1.
Gravure – fin XVIIIe s.

Château de Chinon
seconde moitié Xe s. pour Thibaut le Tricheur
dès 1160 renforcé par Henri II Plantagenêt – XVe s.
Fortifications vues des rives de la Vienne 2.

Château de Châteaudun
1459–1532 pour Jean de Dunois,
François Ier et François II de Longueville
Vue du nord, des bords du Loir 3.

1

...Les premiers châteaux de pierre furent bâtis en Touraine, pays au calcaire facile et aux guerres acharnées, au XIe siècle; la tradition du
«château-fort» y est donc particulièrement enracinée...

2

3

Château de Loches
XIᵉ s. – seconde moitié XVIᵉ s.
Donjon – XIᵉ s. pour Foulques Nerra
Vues extérieure et intérieure   1.3.

Château de Montrichard
dès 1120 pour Hugues Iᵉʳ d'Amboise
Enceinte et donjon   2.

LES REMPARTS

1

...Les remparts composent l'habillage du château comme un espace clos entouré de murs et défendu de tours: ce schéma ne sera pas touché lors de la première renaissance des châteaux de la Loire...

2

3

Château de Semblançay
début XVIᵉ s. pour Jacques de Beaune de Semblançay
Enceinte et tours circulaires   1.

Château de Chinon
Fort du Coudray, la tour du Moulin,   2.
la tour de Boisy et le donjon du Coudray
dès 1205 pour Philippe Auguste – 1370

Château de Loches
XIᵉ s. – seconde moitié XVIᵉ s.
Défenses du donjon – XIIᵉ–XIIIᵉ s.   3.

LE DONJON

1

2

Château de Chaumont
1. Tour d'Amboise
   dès 1469 pour Pierre d'Amboise

Château de Châteaudun
2. Donjon de Thibaut V
   dernier tiers du XIIᵉ s.

Château de Chenonceaux
3. Donjon, dit «Tour des Marques»
   dès 1432 pour Jean II Marques

...Le donjon a une forte valeur symbolique: de lui dépend le droit de faire justice que possède le seigneur. Dépourvu d'utilité militaire, il fut longtemps conservé pour affirmer les privilèges de la noblesse...

3

LES DOUVES

Château du Moulin
1490–1506 pour Philippe du Moulin
Vue du nord: châtelet et logis   1.
Vue de l'est: la grosse tour   2.

Château du Plessis-Bourré
1468–1473 pour Jean Bourré
Vue des douves   3.

... Les douves forment une protection efficace en cas d'attaque: l'environnement d'un plan d'eau sera longtemps conservé comme un agrément du château, bien après le XVIe siècle...

3

1

LE PONT-LEVIS

. . . Les dispositifs de protection impriment leur marque profonde sur le château: les façades puissamment structurées de la Renaissance en garderont longtemps l'empreinte, devenue cicatrice. . .

2

3

Château de Chaumont
Tours d'entrée et pont-levis
1498–1510 pour Charles II d'Amboise
1.4.   Tablier et piles du pont
3.   Vue d'ensemble

Château du Moulin
1490–1506 pour Philippe du Moulin
2.   Châtelet d'entrée avec portes
charretière et piétonnière

4

1

2

CHEMINS DE RONDE ET MÂCHICOULIS

Château de Châteaudun
1459–1532 pour Jean de Dunois,
François Ier et François II de Longueville
1. Chemin de ronde

Château de Chaumont
Tour d'entrée – 1498–1510
2. Mâchicoulis aux emblèmes de
Diane de Poitiers – restaurés v. 1560

Château de Fougères-sur-Bièvre
dès 1475 pour Pierre de Refuge – 1520
3. Tour nord-est, mâchicoulis sur corbeaux

Château de Talcy
Dès 1520 pour Bernard Salviati
4. Tour carrée d'entrée: mâchicoulis,
créneaux et merlons

3

...Les éléments de défense s'atrophieront avec la fin des guerres féodales mais demeureront le support des structures du château: le chemin de ronde deviendra corniche, et les mâchicoulis, guirlande décorative...

4

3

les nouveaux rois

«...La meilleure forteresse du monde est l'affection des peuples...» écrivait, en 1512, Machiavel dans ses conseils aux princes. Nul prince plus que le roi de France n'était à cette époque mieux en mesure de les suivre. L'italianisation de la politique entraîna tout naturellement l'italianisation de l'architecture. Qui veut comprendre pourquoi, assez rapidement en France, les lourdes chemises des donjons tombèrent pour ouvrir la vue sur des décors de dentelles doit d'abord savoir que les guerres étaient finies, la prospérité – pour certains l'opulence – revenue, mais que ces ostentatoires palais royaux, bâtis à la place de châteaux-forts pour éblouir et non plus pour effrayer, devaient continuer à tenir le peuple et l'étranger «en respect». La France porte la guerre en Italie pendant que sur ses propres terres unifiées elle préfère les fastes de la diplomatie qui est, dit-on, la continuation de la guerre par d'autres moyens. Louis XII et François Ier purent donc mettre spontanément en pratique les conseils de leur contemporain Machiavel qui écrit aussi: «...On résumera les choses ainsi: le prince qui redoute plus ses peuples que les étrangers doit se fortifier; mais celui qui craint davantage les étrangers doit faire le contraire...»[19].
Le roi de France est sorti vainqueur de la lutte féodale qui, aux jours les plus sombres de 1423, quand le roi de Bourges avait perdu Bourges, lui avait fait chercher un dernier refuge dans ses forteresses de Touraine, près de ses derniers alliés angevins et bretons.

Louis XI a patiemment unifié et pacifié le royaume: il a reçu à la mort du roi René en 1480 l'Anjou, le Maine et la Provence, conquis sur Charles le Téméraire la Picardie, la Bourgogne et la Franche-Comté. Si le roi a pu conforter de façon si irrésistible une situation qui pouvait sembler perdue, ce ne fut pas par miracle ni par ses propres forces. Louis XI, attaqué par les derniers grands féodaux, fit alliance avec la bourgeoisie des villes, joua la ville contre le château, le commerce contre la chevalerie.
De son château fortifié du Plessis-lès-Tours, il ne reste aujourd'hui que l'aimable logis d'un roi bourgeois, sobre demeure de brique au milieu d'un jardin simple. Transportez-vous alors dans la ville de Tours, dont il favorisa l'essor, et voyez par exemple la résidence d'un de ces bourgeois dont il avait conquis la confiance, cette «Petite Bourdaisière», et il sera clair que l'assimilation presque parfaite des deux architectures traduit une collusion idéologique profonde, authentique, entre la riche bourgeoisie de la ville et le nouveau pouvoir royal; situation risquée à laquelle la noblesse, par son ambition propre, s'était exposée et qui lui fut fatale. Les grands châteaux de la Loire ne furent pas d'abord les châteaux de la noblesse, mais ceux des fonctionnaires qui avaient pris la place des nobles auprès du roi.

Le Plessis-lès-Tours était néanmoins un manoir terriblement fortifié. Autour de l'habitat nouveau du premier roi-bourgeois, l'appareil défensif veille encore tant que le roi se sent directement menacé; mais architecturalement il se détache du corps du logis, il l'enveloppe sans y adhérer, comme une peau prête à tomber. Les châteaux de la Renaissance ont préparé leur mue à l'abri des remparts. Déjà dans le «bayle» (ou basse-cour) entouré de hautes murailles s'étaient ouverts des logis plus heureux: à Nantes, à Châteaudun, à Loches et bientôt à Amboise. Un prince sans rivaux, le roi René, peut oser le manoir contre le château-fort, le jardin ouvert contre la terrasse fortifiée. C'est peut-être lui, René d'Anjou, roi aussi de Provence et de Naples, qui, malgré des défenses encore mises en évidence, avait été le plus prompt à s'en défaire, moins dans ses châteaux d'Angers – où le manoir est encore au revers des murailles formidables – ou de Baugé que dans ses manoirs de campagne à Launay, près de Saumur, ou à La Menitré près d'Angers. Quand le roi de France n'eut, à son tour, plus rien ni personne à craindre, il débarrassa son château de son armure mais la magnificence en plus: il ne suffisait pas d'être assuré, il fallait le paraître.

Sous la régence des Beaujeu, le fils de Louis XI étant mineur, d'ultimes secousses donnèrent aux grands féodaux l'espoir d'ébranler ce pouvoir qui se resserrait sur eux. Ce fut la «Guerre folle», première «fronde» qui marqua le désarroi d'une classe en déclin. Son meneur était Louis d'Orléans, cousin du roi. Lorsque ce Louis d'Orléans, par la mort de Charles VIII, hérita de la couronne et devint le roi Louis XII, on peut dire que le dernier des opposants feudataires a été absorbé: la monarchie absolue, qui durera jusqu'au XVIIIe siècle, peut commencer.
Les seigneurs de la guerre ne valent rien en temps de paix. Leur pouvoir pourrissant s'égrène en vaines rebellions. Une nouvelle force, fondée sur le travail et l'échange, nourrit le redressement du royaume. A l'époque de Louis XII, la France n'est plus seulement un royaume, c'est un Etat puissant et admiré, son roi est respecté, maître de son domaine, pourvu d'une bonne administration, d'une assez bonne justice, d'une armée excellente, surtout par la supériorité de son artillerie. La fin des guerres, progressive depuis le milieu du XVe siècle, a signifié pour tous une reprise économique importante, une multiplication des échanges avec les pays plus modernes et avancés dans leur production– les Flandres, la vallée du Rhin, l'Italie du Nord–, une ébauche de grand commerce; la découverte du Nouveau Monde augmente encore l'afflux monétaire qui lui préexistait: c'est une période de hausse des prix, d'enchérissement et d'enrichissement. Cette prospérité nouvelle, dont les villes surtout profitent et s'enorgueillissent, a son revers: la lourdeur des impôts, que Louis XI avait justifiée par les nécessités de la guerre. Louis XII, héritier d'une économie en essor, dans une situation de paix civile, put, chose extraordinaire depuis des siècles, réduire les impôts, ce qui valut à sa personne le surnom de «Père du peuple» et à son règne la réputation d'un âge d'or.

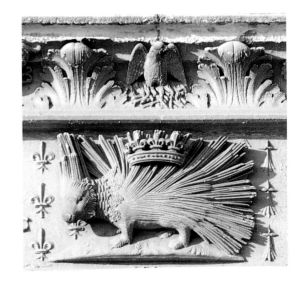

Dans la ville de Blois, alors en plein chantier, où chaque courtisan, banquier, marchand fait bâtir son hôtel, le même air de famille s'affiche entre la galerie que fait construire Louis XII à l'entrée de son château, en 1504, et celle que fait construire son principal financier, Florimond Robertet, dans son hôtel particulier, en pleine ville, l'hôtel d'Alluye. Mais alors qu'à son immense château de Bury, que Robertet édifie à deux lieues de Blois, les grosses tours de guêt flanquent encore un impeccable quadrilatère et que deux tours d'entrée encadrent la galerie par laquelle on y accède, au château royal de Blois, toutes les tours sont tombées. Sur trois faces au moins, des galeries ouvertes, aux larges balcons, délimitent la cour sans protection sérieuse vers la ville; sur la basse cour, l'entrée du château se confond avec elle. Pour l'exécution de ces travaux, le roi dut sans doute donner l'ordre d'abattre le donjon que son père, Charles d'Orléans, avait fait réparer. Ainsi, à Blois, entre 1498 et 1504, s'effectue la première métamorphose des châteaux de la Loire.
A l'image de l'Italie, en accord avec ce nouveau rapport de forces sociales, la démocratie bourgeoise fait son apparition en contrepoint – alors harmonieux – de la monarchie absolue, puisque le roi protège les habitants de la ville et s'appuie sur la force nouvelle qu'ils représentent. En 1484, avant la «Guerre folle», les Etats Généraux ont été réunis à Tours, le tiers état y obtint des privilèges extravagants: l'obligation d'être consulté avant chaque impôt, l'admission de ses délégués au Conseil même du roi.
Louis XII, chevalier robuste et parfois écervelé, conseillé en bien ou en mal par sa femme Anne de Bretagne et par le cardinal Georges d'Amboise, joua ce rôle de monarque tempéré, éclairé et absolu, dont la formule est affirmée en Italie par les théories du *Prince*, en France par les thuriféraires du roi:

Emblèmes royaux:

Porc-épic de Louis XII
Château de Blois, aile Louis XII

Salamandre de François Ier
Château de Chambord, le Donjon
Salle des gardes

Claude de Seyssel dans *La Grande Monarchie de France*, et Charles de Grassaille dans son *Regalium Franciae*[20]. C'est aussi cette disposition nouvelle et inéluctable de la royauté qui provoqua, à la même date, les premiers éclats d'une idée qui n'abandonnera plus le destin de nos rois et fera du chemin : la théorie du régicide.

Le roi, jusque dans son château, s'expose sans défense. Dans le château rénové de Blois, Louis XII accueille, dans le faste, ambassadeurs et princes étrangers, ceux même qui pourraient ou devraient être ses ennemis. Ainsi cet archiduc Philippe d'Autriche, à qui tout l'opposait, dont il devait tout craindre, il l'invite à Blois et le reçoit non dans les armes mais dans les fêtes. Le peuple s'en émeut. Erasme l'en félicite. Il n'est pas loin le temps où Louis XI, se rendant à Péronne à l'invitation de Charles le Téméraire pour y négocier, y fut fait prisonnier. Où le même Philippe, échoué sur les rives d'Angleterre, avait été capturé sur l'ordre de Henry VIII. Or voici la nouvelle politique du «Prince»: sur la route qui va des Flandres en Espagne, Philippe s'arrête à Blois, le 8 décembre 1501; une suite de dignitaires l'attend dès Orléans et lui fait cortège jusqu'aux portes de Blois où cardinaux et princes le rejoignent pour entrer en triomphe dans la ville[21]. Une maison entière de cent serviteurs et quatre cents archers est mise sous ses ordres. Il pénètre dans le château, le soir, entre une double haie d'archers et de suisses, tenant leur hallebarde d'une main et de l'autre une torche – on était en décembre – «... tellement qu'il y faisait aussi clair que le jour...». Et voici à quoi sert le nouveau château: l'archiduc est reçu dans la grande salle tendue des tapisseries représentant la guerre de Troie, puis dans la salle à manger couverte de drap d'or, où ont été dressés des pavillons de damas vert. Dans la chambre à coucher, quelques lits de camp ont été disposés, tendus de damas vert, rouge ou noir, pour les grands personnages de sa suite; lui-même couchera dans un lit à pavillon dont le ciel de drap d'or doublé de damas blanc s'accorde à des rideaux de taffetas jaune et rouge. Il dort dans des draps fins de toile de Hollande, sous des chandeliers d'argent pendus à des chaînes d'argent, à quatre flambeaux, dispose d'un buffet, d'une chaise dorée «... fort bien menuisée et ouvrée venant d'Italie...» et de deux ou trois garde-robes où nul n'a le droit d'aller. Pendant une semaine, raconte Claude de Seyssel, «... à la fois le roi menait l'archiduc à la chasse des grosses bêtes, à la vénerie, au jeu de paume où souventes fois jouèrent tous deux ensemble...». Le reste du séjour ne fut que messes, bals, soupers, tournois. Un château sombre se prêtait mal à ces besoins nouveaux.

L'architecture doit s'ouvrir et s'orner; à ce stade précoce de la première Renaissance – du règne de Louis XII au début de celui de François Iᵉʳ –, son évolution doit plus à Machiavel qu'à Bramante. Le nouveau château est conçu pour de nouvelles armées: celles des courtisans, des officiers et des pages. La cour du roi se développe à l'image de celles des grands princes fastueux: elle imite le luxe et l'étiquette de celle des ducs de Bourgogne qui avaient fondé une véritable civilisation courtisane. Louis XII avait 322 personnes à son service particulier[22]; c'est la «maison du roi», avec 2 chambellans, 13 maîtres d'hôtel, 7 panetiers, 7 échansons, 6 valets tranchants (pour la viande), 13 écuyers, 30 enfants d'honneur, 22 valets de chambre, 11 sommeliers de chambre, 10 huissiers de chambre, 1 sécrétaire, 3 maréchaux des logis, 18 fourriers, 33 clercs, puis, à la cuisine, 5 écuyers, 7 sommeliers de paneterie, 8 d'échansonnerie, 11 maîtres-queux pour la cuisine de bouche (cuisine de luxe) et, pour la cuisine commune, 4 écuyers, 10 sommeliers, 16 échansons, 18 maîtres-queux, 8 potagiers, 8 fruitiers, 4 sauciers, et 7 galopins et enfants de cuisine. A ces 256 serviteurs aux titres plus ou moins honorifiques, il faut ajouter une troupe de 66 pages. Chaque courtisan et grand fonctionnaire vivant auprès du roi a sa propre «maison» et la reine Anne constitua la première «cour de Dames», si l'on on croit Brantôme[23].

Voilà bien du monde à loger au château. En fait, seul le roi, la reine et quelques très hauts personnages ont un lit, meuble rare et solennel. L'on couche un peu partout sur des paillasses. Les grandes salles sont toutes d'apparat. Le mobilier y est réduit au minimum et constitué essentiellement de coffres, de planches posées sur des tréteaux et couvertes de tapis, qu'on enlève et démonte facilement. En revanche, les tapisseries sont partout tendues dès l'arrivée du roi. Il fallut 4000 agrafes pour accrocher les tapisseries d'Amboise, à l'arrivée d'Anne de Bretagne. Les ouvriers les plus nombreux au château sont les «liciers» chargés de les poser. C'est que la cour est nomade, et les châteaux, généralement, vides. On ne doit pas s'étonner de les voir tels aujourd'hui (ou garnis – hélas! – de médiocres meubles empruntés à des époques bien postérieures à celles de leur construction). Le roi écrit sur une planche posée sur deux tréteaux, dort sur un simple lit de camp.

La population du château déborde la basse-cour et les abords: la garde militaire qui accompagne le roi se compose de 100 lances, soit à peu près 500 soldats pour sa garde personnelle et de 1180 lances (5000 soldats) pour la suite du cortège auquel s'accrochent les «marchands ambulants suivant la cour» et qui l'approvisionnent en tout, sans compter les bandes interlopes et les filles de joie. Tout ce monde ne loge pas au château mais campe dans les alentours. La «vénerie de toiles» composée de cent archers et cinquante chariots attelés chacun de six chevaux porte et tend les tentes partout où le roi va[24]. A ce grand cirque royal ne manque pas la ménagerie: l'écurie est le plus coûteux des services et le roi y engloutit plus d'argent que pour la construction de ses châteaux. Les chiens des meutes se comptent par centaines et Louis XII entretenait en outre neuf douzaines de lévriers. La fauconnerie est un autre important service. Les volières du roi du Plessis-lès-Tours et de Blois sont célèbres et rivalisent d'espèces rares, hérons et perroquets. Les princes italiens ont exporté en France la mode des animaux sauvages: à Milan, on faisait courir le léopard pour chasser le lièvre. Le roi René était fier de ses lions. C'est que la chasse est beaucoup plus qu'un passe-temps, elle restera longtemps une passion permanente: on vit un jour Louis XII soudain quitter un cortège pour s'élancer à la poursuite des bêtes dans un site giboyeux. François Ier délimita lui-même, dit-on, le parc de Chambord.

On n'imagine pas de château dont les jardins et la forêt ne seraient le prolongement. Chambord était conçu pour la chasse. Des bâtiments de Blois, on pouvait, par la «galerie des Cerfs», entrer dans des jardins immenses dont seules les gravures de Du Cerceau nous ont gardé le souvenir et, de là, s'élancer dans la forêt.

La cour, ainsi gonflée de fonctionnaires et de serviteurs, déborde sur la ville. Dans la basse-cour du château de Blois s'édifient les hôtels des plus grands dignitaires, le cardinal d'Amboise, premier ministre, Dinteville, le Grand Veneur.

Dans les rues de la vieille ville encore médiévale, les maisons de pierre remplacent les maisons de bois pour loger banquiers et artistes: Pacello da Mercogliano, l'architecte des grands jardins, habitait le faubourg de «Vienne» peut-être auprès de ses pépinières, Jacques Sourdeau, le maître maçon, le faubourg du «Foix» sous le château, Dominique de Cortone, autre architecte, logeait dans la ville avec les peintres Bouteloup ou Etienne de la Salle, les vitriers, les tapissiers, les couturiers, les émailleurs, les couteliers, les orfèvres, les horlogers. Les services du roi envahissent aussi la ville: il faut loger la chancellerie, l'écurie et ses nombreux palefreniers et maréchaux, l'arsenal, les greniers à sel, à grains, à fourrage. Au personnel civil et militaire, il faut ajouter le personnel religieux qui accompagne toute grande famille, à Blois, par exemple, les chanoines de Saint-Calais, chapelle du château et de Saint-Sauveur, collégiale de la basse-cour. Sous Louis XII, on rebâtit Saint-Martin et Saint-Honoré, les églises de la ville; Claude de France entreprend la reconstruction de Saint-Solenne, qui devint, plus tard, la cathédrale. Au hasard des comptes du roi, on trouve des mentions pittoresques qui montrent combien les besoins de la cour étaient divers et inattendus: Louis XII achète une chambre dans la ville pour y loger des horlogers à qui il a commandé une sphère de cuivre, ou loue une autre chambre pour y entreposer les fromages «vieux de cinq ans» que le maréchal de Gié lui a rapportés de Milan. On imagine assez l'agitation de la ville lorsque la cour y apparaît, et l'enrichissement permanent qu'elle tire de tels séjours[25].

Le château continuellement en chantier, aux salles vides, n'est qu'une étape. La cour passe plus de temps sur les chemins de la Loire que dans ses châteaux et, dans ce réseau de plus en plus dense, chacun prend sa fonction. Le roi gouverne à Blois, principalement pendant les mois d'hiver. «...Le roi tint alors à Blois ses Etats et là, ordonnant les affaires de son royaume et entretenant ses sujets sans guère désemparer de la chambre pour danger de grand froid...». Louis XII y séjourne de plus en plus longuement lorsque, en 1512, il tombe malade. Mais dès le printemps, il part: «...Au printemps, ayant le roi mis ses affaires en police ordonnée sur la fin du mois de mai, partit de Blois...»[26].

Il va régler ses affaires à Paris, où il loge aux Tournelles, puis à Lyon par la Loire jusqu'à Roanne, et de là en Italie, guerroyer. Il faut un mois à la cour pour gagner l'Italie, mais douze jours suffisent à un courrier pour venir de Venise. Il va chasser au pavillon de Montfrault, près de Chambord, qui est déjà un rendez-vous de chasse, visiter ses conseillers: Georges d'Amboise, au château de Chaumont-sur-Loire, Florimond Robertet au château de Bury. Le château royal d'Amboise est entretenu avec une garnison sous les ordres du maréchal de Gié, comme une place forte déjà un peu démodée. Le jeune comte d'Angoulême, futur François Ier, y passe son enfance avant d'être marié à la fille du roi, sa cousine. On y va facilement par la Loire. Mais Amboise conserve sa carrure de château-fort, tout proche de Blois, dont les défenses sont tombées. Ce rôle apparaîtra clairement lors de la fameuse «conjuration» de 1560: la cour, menacée d'être surprise à Blois par les conjurés huguenots, se retranchera en hâte à Amboise où l'attaque sera aussitôt déjouée.

Le roi s'installe encore au Plessis-lès-Tours, où il tient conseil, et là où furent célébrées les fiançailles de Claude de France et de François, à Montrichard, sur le Cher, qu'il possède depuis peu. Ses officiers s'installent non loin: aux châteaux de Beauregard, de Fougères-sur-Bièvre, d'Herbault-en-Sologne, ou de Cheverny, acheté par son Maître de l'artillerie. Ainsi doit-on considérer les châteaux de la Loire comme une constellation de résidences où la cour se condense et s'approche du monarque absolu pour, peu à peu, se confondre avec le pouvoir central.

Le château ne peut être compris isolé de ces satellites qui dressent la nouvelle carte politique du royaume, non plus qu'il ne peut être privé de ses abords indispensables, de ses lices, de ses jardins, de ses forêts.
Chambord, dernier des châteaux royaux de la Loire, est tout d'abord un parc, avant d'être un château. Le jeune et fougueux roi-chevalier, François Ier, y dresse un dernier et grandiose décor de chevalerie, déjà anachronique et ressenti comme tel certainement par ses contemporains. On n'y résida point: ce n'était pas une habitation mais plutôt un symbole. La cour de François Ier n'y passa, en tout, que quelques jours, sur un règne qui pourtant durera quarante ans. Ce n'est pas un château de gouvernement comme Le Plessis-lès-Tours, Amboise ou Blois.
Ce n'est plus une forteresse comme Loches ou Chinon: les tours n'ont plus de meurtrières, les terrasses n'ont plus de créneaux. C'est un château-fort de charme et d'intimidation, le «Camp du Drap d'or» bâti en pierre, et que Charles-Quint, le rival de François pour la couronne de l'Empire, était invité à venir admirer: on peut soupçonner le roi de ne l'avoir fait construire que pour cette seule visite. C'est un lieu pour chasser, festoyer, faire parade, et conçu, avec ses terrasses, pour voir la chasse, les fêtes et les parades: c'est un lieu de spectacle et le spectacle à admirer, c'est la puissance royale. Il garde la référence première au château militaire – son plan en quadrilatère flanqué de fortes tours – mais cette forteresse basse s'élève en donjon précieux et se termine en dentelle avec un lanternon. Au centre de ce plan de forteresse: un escalier étonnant, sans aucun doute sorti du cerveau de Léonard de Vinci[27], qui avait coutume d'en dessiner de plus compliqués encore; un escalier qui occupe la presque totalité de l'espace central, et achève de définir le château de Chambord non comme une résidence, encore moins un logis, mais comme un monument votif à la monarchie absolue, une ascension quasi mystique vers le pouvoir centralisé, un temple aux nouveaux rois.

1

LES MANOIRS DE RENÉ D'ANJOU

2

... «Il est venu veoir vostre chastel, où il a trouvé Monsr votre filz, accompaigné de vos serviteurs, Monsr de Précigny absent, qui estoit devers le Roy et encores y est. Il a veu voz jardins et pavillon, vos lions, et sembloit qu'il fust de tout content à merveilles. Ledit duc a esté à la Ménistré, souppé, couschié et disné, et ne s'en savoit riens jusques au bien matin le jour qu'il partit. Et incontinent ont fait venir des choses de Beaufort et appoincté pour l'ostel, pour si pou de temps, au mielx que possible a esté, et tellement que le duc en a esté à merveilles content. On lui a présenté de voz veaulx, qui ont esté mengez sur le lieu. Ilz estoient jeunes et gras, et disoit le duc que oncques en sa vie n'en mangea qui en approchassent de bonté. S'il a esté à Launay ou non, encores ne le savons nous.» ...

Relation d'une visite du duc de Bretagne au Roi René.

3

4

Manoirs du Roi René d'Anjou:
Manoir de Baugé – dès 1455   1.
Manoir de Launay – av. 1480   5.

«Le Roi dans son atelier...»   2.
«Comment la femme monte sur le pont...»   3.
«Comment le charretier mène la Reine...»   4.
René d'Anjou
Mortifiement de Vaine Plaisance, v. 1458

5

1

Château du Plessis-les-Tours
après 1474 pour Louis XI – 1505
1.   Aile est, corps de logis

Tours (Indre-et-Loire)
Hôtel de la Petite Bourdaisière
fin XVe s. pour les Babou de la Bourdaisière
2.3.   Logis et fenêtre du premier étage.

... «Premier, il n'entroit guères de gens dedans le Plessis du Parc (qui estoit le lieu où il se tenoit), fors gens domesticques et les archiers, dont il en avoit quatre cens qui en bon nombre faisoient chascun jour le guet et se pourmenoient par la place et gardoient la porte. Nul seigneur, ne grant personnaige ne logeoit dedans, ne s'y entroit gueres compaignie de grand seigneurs. Nul n'y venoit que Monseigneur de Beaujeu, de présent duc de Bourbon, qui estoit son gendre. Tout à l'environ de la place dudict Plessis feit faire un treillis de gros baareaulx de fer, et planter dedans la muraille des broches de fer, ayans plusieurs poinctes, comme à l'entrée où l'on eust pu entrer aux fossez. Aussi feit faire quatre moyneaulx tous de fer bien espeys, en lieu par où l'on pouvoit tirer à son ayse: et estoit chose bien triomphante, et cousta plus de vint mil francz: et à la fin y mit quarante arbalestriers qui, jour et nuict, estoient en ces fossez ayant commission de tirer à tout homme qui en approcheroit de nuict jusques à ce que la porte seroit ouverte le matin.» ...

Philippe de Commynes, *Mémoires*, Livre VI, 1498.

LE LOGIS ROYAL,

... « De Lyon, délogèrent le roi et la reine, avec tous leurs gens, et se mirent en chemin pour retourner en France, et tant voyagèrent que, entour la Saint-Martin, furent à Loches, où madame Claude, leur fille, étoit, et demeurèrent jusques après la fête de Noël. Où, ces jours durant, le roi tint ses Etats, et dépêcha les ambassades qui lors étoient en cour. Aussi commença à tenir la légation le cardinal d'Amboise, de laquelle n'avoit usé durant le voyage de delà les monts. » ...

Jean d'Auton, *Chroniques*, 1502.

1

À LOCHES

Château de Loches, le logis royal
Logis Vieux – fin XIVᵉ s.
résidence de Charles VII
Logis Neuf – fin XVᵉ – début XVIᵉ s.
pour Charles VIII et Louis XII

1. Logis Vieux et Logis Neuf
2. Cour intérieure ouvrant devant le logis royal
3. Logis Vieux et tour Agnès Sorel

1

... «Charles huictiesme de ce nom: lequel estoit en son château d'Amboise, où il avait entreprins le plus grand édiffice que commencea cent ans a, roy, tant au chasteau que à la ville: et se peut veoir par les tours par où l'on monte à cheval, et par ce qu'il avoit entreprins à la ville, dont les patrons estoient faictz de merveilleuse entreprinse et despence, et qui de longtemps n'eussent prins fin. Et avoit amené de Naples plusieurs ouvriers excellens, en plusieurs ouvraiges, comme tailleurs et painctres: et sembloit bien que ce qu'il entreprenoit estoit entreprinse de roy jeune et qui ne pensoit point à la mort, mais esperoit longue vie: car il joignit ensemble toutes les belles choses dont on luy faisoit feste, en quelque pays qu'elles eussent été, vues, fust France, Italie, ou Flandre, et si avoit son cueur tous jours de faire et acomplir le retour en Italie.» ...

Philippe de Commynes, *Mémoires*, Livre VIII, 1498.

À AMBOISE

2

3

Château d'Amboise
1431 rattachement de la seigneurie
d'Amboise à la Couronne
1491 – après 1515 reconstruction du château

Vue des rives de la Loire 1.
Logis royal, aile Charles VIII – 1491–1498 2.
Terrasse, anciens jardins de
Pacello da Mercogliano 3.
Logis royal et galerie le reliant au
« Logis des enfants royaux » (détruit) 4.

4

1

LOUIS XII À BLOIS

2

3

Château de Blois
Château des comtes de Blois,
dès 1498 résidence royale

Aile Louis XII – 1498–1504
Façade sur l'avant-cour:
gargouilles saillantes de la corniche 1.3.
Entrée, statue équestre de Louis XII 4.

«Entrée de Louis XII à Gênes» 2.
Jean Marot, le Voyage de Gênes, 1507

... « La fête de Noël passée, le roi partit de Loches, et s'en alla
à Blois dedans son château, que lors faisoit faire tout de
neuf, et tant somptueux, que bien sembloit oeuvre de roi ; et
là, avec la reine et madame Claude, sa fille, demeura jusques à la fin du mois de février. » . . .

Jean d'Auton, *Chroniques*, 1502.

4

L'ARCHITECTURE OUVERTE À UNE POLITIQUE NOUVELLE

... « Disant au premier que le très-chrétien roi Louis, douzième de ce nom, au commencement de l'an susdit mil cinq cent et six, étoit dedans sa ville de Blois, la reine avec lui, et Madame Claude leur fille, laquelle étoit en l'âge de sept à huit ans, très-belle et moult bien enseignée: et là se passa le temps en toute joie et plaisir; car le roi étoit lors très-sain et en bon point, et tous ses pays heureux en paix et plantureux en biens. Advint que, en ce temps, sur la fin du mois d'avril, le roi, pensant en ses affaires, s'en alla à Tours, la reine et Madame Claude avec lui. » ...

Jean d'Auton, *Chroniques*, 1506.

2

Château de Blois
Aile Louis XII – 1498–1504

1. Vue de la cour d'honneur
Galerie Louis XII:
2. Fenêtre
3. Arcades et départ de l'escalier d'honneur

3

LES ESPACES DE TRANSITION

1

2

3

Château d'Amboise
Logis royal, aile Charles VIII – 1491–1498
et tour des Minimes – 1495–1498

Rampe intérieure de la tour des Minimes   1.
Accès à la terrasse du château   2.
Galerie couverte donnant sur la Loire   3.

L'AUSTÉRITÉ DE LA «MAISON» POUR UNE COUR NOMADE

4

5

Château de Châteaudun
Aile de Dunois – 1459–1469
Grande salle et embrasure de fenêtre 1.3.
Cuisines 5.

«Louis XII entouré de ses seigneurs» 2.
P. Bernard de Montfaucon,
Les Monumens de la monarchie française,
Paris 1729–1733

Château de Fougères-sur-Bièvre
dès 1475 pour Pierre de Refuge – 1520
Salle des gardes 4.

1

... « Aussi tous couroient à elle, et peu en sortoient d'avec elle mal contens. Surtout elle a eu ceste réputation d'avoir aimé ses serviteurs domestiques, et à eux faicts de bons biens. Ce fut la première qui commença à dresser la grande court des dames, que nous avons veue depuis elle jusques à cest' heure; car elle en avoit une très-grande suitte, et de dames et de filles, et n'en refusa jamais aucune; tant s'en faut, qu'elle s'enquerroit des gentilzhommes leurs pères qui estoient à la court, s'ilz avoient des filles, et quelles elles estoient, et les leur demandoit. »

Brantôme (v.1540–1614), *Vie des Dames illustres, discours sur la Reyne Anne de Bretagne...*

2

3

LA MAISON DE LA REINE

Blois (Loir-et-Cher)
Pavillon d'Anne de Bretagne – 1499–1514
1. Monogramme de la Reine

2. «Hommage du livre par son auteur
   à la Reine Anne de Bretagne»
   Jean Marot, *le Voyage à Gênes*, 1507

3. La Reine Michol et les seigneurs au balcon
   Histoire de David et Bethsabée – v. 1510–1515
   Tapisserie – Ecouen, Musée de la Renaissance

Château d'Amboise
Chapelle Saint-Hubert – 1491–1496
4. Voûte de la chapelle

4

3

1

LES JARDINS

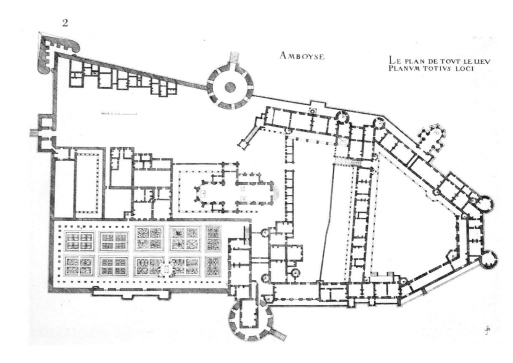

2

AMBOYSE

Le plan de tovt le liev
Planvm totivs loci

Château de Villandry
Jardin d'utilité 1.3.
dès 1536, aménagé pour Jean Le Breton

Château d'Amboise 2.
Jacques Androuet Du Cerceau,
Les plus Excellents Bastiments de France
1576–1579

... «Mon frere, je vous advertiz que pour babillier mon visaige il ne suffisoit pas que j'eusse eu la petite verole, mais j'ai eu la rougeole, de laquelle, Dieu mercy, je suis guery. Au surplus, vous ne pourriez croire les beaulx jardins que j'ay en ceste ville, car sur ma foy il semble qu'il n'y faille que Adam et Eve pour en faire un paradis terrestre tant ilz sont beaulx et pleins de toutes bonnes et singulieres choses, comme j'espere vous en conter, mais que je vous voye. Avec ce j'ay trouvé en ce pays des meilleurs peintres; je vous en enverray pour faire d'aussi beaulx planchers qu'il est possible. Les planchers de Beauce, de Lyon et d'autres lieux de France ne sont en riens approuchans de beaulté et richesse ceulx d'icy; c'est pourquoy je m'en fourniray et les meneray avecques moy pour en faire à Amboise.» ...

Charles VIII, *Lettres de Naples*, le 28 mars 1495.

3

1

LE DÉCOR À L'ITALIENNE

Château de Blois

Aile François Ier – 1515–av.1524
Escalier, décors du soubassement   1.3.
1519–1520

Terrasse
Fontaine – début XVIe s.   2.
anciennement dans les jardins du château

2

... «Blois est une belle ville, située dans un endroit agréable, à droite de la Loire, ornée de belles maisons, fort peuplée: son palais, qui est très-beau, fut construit en partie par Louis XII et en partie par le roi régnant. On y admire deux jolis jardins, et dans l'un des deux un labyrinthe avec un enclos en bois et une terrasse au milieu, en bois aussi. A l'entrée du jardin on voit deux grandes cornes de cerf envoyées d'Allemagne au roi Louis comme une admirable rareté. » ...

André Navagero,
Voyage d'André Navagero en Espagne et en France, 1528.

3

CHAMBORD, UN CHÂTEAU DE CHARME ET D'INTIMIDATION

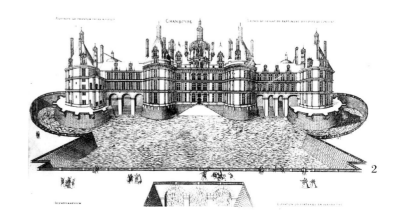

Château de Chambord
dès 1519 pour François Ier
1. Vue d'ensemble, le château et le canal du Cosson
3. Terrasse du Donjon – 1519–1539

2. Chambord, façade sud-est
Jacques Androuet Du Cerceau,
Les plus Excellents Bastiments de France, 1576–1579

... «Que doit-on dire de Chambourg, qui, encores tout imparfaict qu'il est, à demy achevé, rend tout le monde en admiration et ravissement d'esprit quand il la voit! Que si le dessein eust peu accomplir l'œuvre, on le pouvoit nombrer parmy l'un des miracles du monde, jusques là que ce grand et présumptueux roy vouloit y faire passer un bras de la rivière de Loyre le long de la muraille (aucuns disent toute la rivière), et en destourner le cours, et luy bailler là son adresse.»...

Brantôme (v. 1540–1614), *Vie des Hommes illustres*,...

4

les nouveaux seigneurs

Si les châteaux d'Azay-le-Rideau, de Chenonceaux, d'autres moins super-bes comme Le Gué-Péan, ou d'autres disparus comme Bury se confondent dans nos mémoires avec les châteaux du roi, on doit bien soupçonner que la richesse de ceux qui les firent construire égalait presque celle du roi et, pour tout dire, se confondait un peu avec elle. La Renaissance n'est pas le fait d'un prince. C'est la renaissance des grandes fortunes et la naissance d'une nouvelle économie qui ne repose plus seulement sur la possession des terres mais aussi sur la production des biens, leur libre circulation et le commerce de l'argent. Les bâtisseurs de ces nouveaux palais ne sont pas des guerriers mais des gens de finance: Jacques de Beaune à Semblançay, Florimond Robertet à Bury, Thomas Bohier à Chenonceaux, Gilles Berthe-lot à Azay-le-Rideau, les Alamand au Gué-Péan, bien d'autres encore, moins considérables.

Le système ingénu des finances royales leur offre les pleins pouvoirs. Le marchand qui fournit en toutes choses le roi et sa nombreuse cour est aussi le contrôleur de ses dépenses: c'est ce cumul qu'effectua Jacques Coeur et qui, bien sûr, lui profita largement. Imaginez maintenant que ce marchand qui gère le trésor de son propre client est aussi celui qui lève les impôts du roi, source principale de ce trésor. C'est ce que cumulèrent ces grands officiers, à la fois boutiquiers, banquiers, percepteurs et ministres. La corruption, la vénalité, le népotisme deviennent tout naturels dans un tel système, et les procès que les rois leur firent étaient souvent inextricables. Charles VII, lorsqu'il eut reconquis le pouvoir entre 1436 et 1450, fut l'auteur d'une organisation durable et remarquable de son administration des finances, qui distinguait, dans les quatre circonscriptions qui divisaient la France, l'ordonnateur des dépenses (généraux, contrôleurs et trésoriers) du comptable (receveurs et changeurs). Ceux qui prirent ces charges, sou-vent en les cumulant sinon pour eux-mêmes du moins dans une même famille, s'assuraient la fortune, d'autant plus que le redressement financier du royaume, qui s'affirma pendant toute la seconde moitié du siècle, con-naissait vers 1450 ses premiers frémissements, et sans compter que ces manipulateurs de fonds, pourvoyeurs et contrôleurs des finances royales, sont au fait des plus intimes comme des plus ténébreuses affaires de l'Etat.

Lorsque Charles VII s'était installé à Bourges, il avait dû y constituer sa «maison», un entourage digne des princes fastueux qu'il devait surpasser: ceux de Bourgogne, d'Anjou, de Bretagne et même d'Italie. Les marchands de Bourges devinrent ses fournisseurs en tissus comme en armes et en bêtes. Pierre Coeur fut le plus apprécié, le plus habile: il savait s'approvi-sionner à Genève et en Avignon par Moulins et Roanne, gagner la Méditer-ranée par Nîmes et Montpellier en contournant les terres bourguignonnes. Son fils Jacques sera le bâtisseur d'une nouvelle puissance, fournisseur mais en même temps argentier du roi, jouissant d'un monopole sur toutes les fournitures de luxe, équipant l'armée, nourrissant la cour. Jacques Coeur fut le premier responsable de ce «grand magasin» destiné à faire face aux besoins somptuaires de la cour, qu'on appelait «la Boutique du roi» et dont il tira, en calculant ses risques, d'énormes profits. Son ascension, son pouvoir inquiètent même le souverain qui le jalouse et finalement l'abat, pour s'approprier sa richesse. Histoire tragique qui deviendra très habituelle, comme mue par un mécanisme certainement inscrit dans ce système pervers des finances royales affermées à des propriétaires privés: Louis XII abattit Robertet, qui se vantait d'être le seul à ne pas le voler, François Ier abattit Beaune de Semblançay, Louis XIV abattit Fouquet. C'était le prix de la monarchie absolue.

La «Boutique» de Jacques Coeur avait suivi la cour en Touraine et des entrepôts étaient logés à Tours, ville prospère pourvue d'un bon denier. A la chute de Jacques Coeur, en 1454, sa place fut reprise par un groupe ambitieux de Tourangeaux, notables de la ville et marchands enrichis, ses anciens associés.

Jean de Beaune, marchand drapier suivant la cour, n'était que le fils d'un hôtelier. Il racheta les stocks de drap et d'autres dépouilles de «la Boutique du roi» dont il fit ses premières affaires. La vente se passa bien pour lui: elle fut effectuée par son compère, Jean Briçonnet, un officier de finance, élu des aydes (impôts) de la ville de Tours. C'est lui qui a procédé à la saisie des marchandises dans les magasins de «l'argenteur». Jean Briçonnet était un homme important; fils de Pierre, notable de Tours, il épousa Jeanne Berthelot, la fille d'un changeur, fut Maître de la Chambre aux deniers de la reine Marie d'Anjou et premier maire de la ville de Tours en 1462.

En 1465, le cercle tourangeau de ces brasseurs d'affaires est constitué. Il ne cessa de s'étendre jusqu'à la fin du siècle et assura la fortune de ses membres jusqu'au tournant du règne de François Ier en 1525, qui marque la fin des campagnes d'Italie, le départ de la cour des rives de la Loire vers Paris et Fontainebleau, et le terme de la grande époque des villes et des châteaux de la Loire. La fin de la guerre de Cent Ans a trouvé la ville de Tours particulièrement bien équipée: institutions municipales solides, soudées qu'elles avaient été par les besoins de la défense. Lorsqu'il faut protéger la ville et ses richesses, y bâtir des murs, organiser le guêt, les bourgeois sont solidaires et élisent des édiles puissants. Tours vivait du change, du bon «denier tournois» qui était sa monnaie, bonne place pour attirer marchands et banquiers, qui peu à peu remplacèrent les changeurs, en concurrence, déjà, avec quelques Lombards: la première des italianisations de la Renaissance, avant celles de la politique et de l'architecture, fut certainement celle de la finance.

Le changeur, le marchand de drap, l'officier de finance et le premier magistrat de la ville vont former une redoutable équipe qui prendra soin de conserver le pactole au sein du groupe familial. L'économie du royaume le plus puissant d'Europe est devenue une affaire de familles: les Beaune, les Briçonnet, les Berthelot, ceux que Bernard Chevalier – dans sa thèse qui nous les fait si bien connaître[28] – appelle «... le syndicat tourangeau d'exploitants des finances publiques...» et qui scelle la collusion entre marchands, banquiers et officiers.

Lorsque Louis XI fait de Tours sa ville favorite et y encourage l'industrie et le commerce, il s'appuie sur eux. Ils sont protégés par Jean Bourré, homme de confiance du roi, qui leur permet d'obtenir les charges les plus lucratives: la Recette générale de Langue d'Oïl, la Chambre aux deniers, l'Argenterie royale. Qui est ce Jean Bourré, qui fit édifier ce merveilleux château du Plessis-Bourré? Sa carrière est exemplaire de celles des «nouveaux seigneurs»[29]. Comme beaucoup de ceux dont s'entoure le roi, il n'est pas de grande noblesse, mais «gens de moyen état», fils d'un Guillaume, simple bourgeois, notable de Château-Gontier, enrichi déjà jusqu'à posséder un petit fief. Sa mère, elle, prétend à la petite noblesse. Il a un oncle abbé, un cousin lieutenant. Il fait des études solides, apprend bien le latin, ce qui n'est pas extraordinaire pour un jeune homme de cette catégorie, dont la modeste origine aiguise l'appétit. Le voilà secrétaire: c'est parmi ces jeunes ambitieux que le roi constitue son personnel contre les fils des grands seigneurs. Ce sont eux, gens de la ville, notables, notaires, bourgeois, marchands, qui lui porteront aide au plus fort de la lutte contre les féodaux rebelles, la «Guerre du Bien Public». Entre le roi et eux, un pacte s'établit: il utilise leurs richesses et surtout leurs compétences, il leur accorde son appui, sa confiance et même son amitié. Louis XI appelle son ami Jean Bourré «Maître Jehan des habiletez». Il était secrétaire d'un

dauphin en disgrâce et voici son ascension près du dauphin devenu roi:
Greffier du Grand Conseil, puis Conseiller du roi, puis Maître des comptes,
puis Contrôleur des recettes de Normandie – c'est la richesse –, puis général des Finances – c'est la fortune –, puis Trésorier de France et de l'Ordre
de Saint-Michel.

Cet homme d'affaires est aussi capitaine du château de Langeais, qu'il fait
reconstruire pour le roi, gouverneur du dauphin Charles et diplomate extraordinaire, chargé de continuelles et délicates missions. Quelles qualités lui
valent ces faveurs et ces charges? Sa compétence, son zèle, mais avant tout,
comme ces autres bourgeois en pleine ascension, son dévouement total au
service du roi, à qui sa fortune est liée: «...Sire, écrivit un jour Jean
Bourré à Louis XI, dès le premier jour que je vins à vous, je me délibéré de
vous servir loyalement et de n'avoir point deux maîtres, et en ce propre, ay
toujours été et maintenant que je suis vieil, je seraye plus que fou si je
vouloye faire le contraire...»[30].

Dans un chapitre sur «les grandes familles» de son remarquable ouvrage,
Bernard Chevalier résume ainsi cette position: «...Ce n'est pas la classe
qui monte mais un petit groupe qui s'en isole pour mieux atteindre le succès
dans une société où la prééminence de la noblesse n'est nulle part mise en
cause...»[31]. Voilà bien le point important de cette période de l'histoire.
Bien évidemment, nous assistons là aux premiers pas de la marche de la
bourgeoisie vers le pouvoir. Les familles tomberont, la classe triomphera.
Mais il est juste de dire que l'espoir de ces bourgeois-là était de ne plus
l'être et de ne jamais le redevenir. N'y avait-il pour autant aucune «cons-
cience de classe» dans ces stratégies familiales encore exceptionnelles?
Certes, ils ne rêvent que de devenir nobles à leur tour, et n'ont pas d'autres
modèles, mais par ailleurs, comme Chevalier le note aussi, car le fait est
frappant: aucune «mésalliance» chez ces riches roturiers, pas un qui ait,
par ambition, «épousé» la noblesse, ou l'ait acquise par dot ou par héritage.
Mais qui refusait l'autre? Au contraire, la politique familiale est très calculée et aussi rigoureuse que dans les grandes familles, à l'intérieur de leur
propre classe, et l'on peut même dire, à l'intérieur de leur propre clan.

Un fait aussi que souligne Chevalier: «...Noblesse et vie urbaine s'opposent radicalement...». Ces gens-là sont «...gens de ville...», bourgeois
au pur sens du terme, et s'opposent économiquement, politiquement au
château des champs qui dominait et protégeait les terres. Il faut avoir cela à
l'esprit pour comprendre la possible transformation des formes du château-
fort. L'assimilation de ces parvenus à la classe dominante que reste la
noblesse cherche donc ses voies et ses frontières, sociales, politiques,
économiques, géographiques. Hors du mariage qui protège la caste, tout est
bon pour parvenir à la noblesse: l'argent, l'église, la politique et la diplomatie, et même les lettres et les arts, et même, aussi, les armes. La noblesse
peut être achetée, octroyée ou conquise: rien n'arrête l'acharnement de ces
nouvelles puissances à entrer dans les meubles de l'aristocratie. Mais
qu'est-ce que la noblesse? La noblesse, c'est un titre, qui représente un
fief; et le fief, c'est d'abord une terre, élevée en châtellenie: ce n'est donc
pas seulement une terre, c'est une terre plus un château. A cette possession
sont liés les privilèges: le droit de faire justice, d'avoir son sceau, son
notaire, son prêtre et son banc à l'église. La terre, elle s'achète, même si
dans cette période d'enchérissement et de paix elle devient rare.

Extraordinaire fut la patience de fourmi avec laquelle un homme aussi riche et puissant que Berthelot remembra des terres minuscules pour arrondir petit à petit le clos familial que Martin avait naguère acheté à Azay-le-Rideau, à un certain Bernard. On rachète des créances, on profite à l'occasion de la détresse des familles de petits propriétaires, on échange des lopins: voilà pour la terre. Les Berthelot réunissent ainsi 387 hectares à Azay, les Bohier 140 à Chenonceaux. Le roi Louis XII ne peut pas alors refuser à ses fidèles et précieux serviteurs d'élever ces terres en châtellenie: il le fait en 1513 pour Azay, en 1514 pour Chenonceaux. Voilà pour le fief. Alors, avec une impatience significative, pour assurer ce titre un peu improvisé et lui conférer existence aux yeux de tous, on édifie tout de suite un château, tout neuf, symbole de la réussite moderne, mais on garde la vieille tour, symbole des traditions et de leurs privilèges.

Ces nouveaux seigneurs doivent se mouler dans les armures de la vieille chevalerie. Aussi significatif que la promptitude avec laquelle ils dressent leurs nouveaux châteaux est leur souci d'être «armés». Le chroniqueur Jean d'Auton raconte la scène qui se déroule en avril 1507, lors du siège de Gênes: «...Ceste même heure messire Charles d'Amboise, lieutenant général de l'armée du roi, fit chevalier ung nommé maistre Thomas Bouyer, général de Normandie, lequel fut là au camp armé de toutes pièces, vestu d'une saye de drap d'or et monté sur son coursier...»[32]. Un autre raconte aussi comment, à Marignan, Thomas Bohier, Antoine Duprat, Guillaume de Beaune étaient «...le soir durant l'alarme, en la plaine, près l'arrière-garde, en armes et gens de bien et bons serviteurs du roi...»[33].
Ces généraux-là ne l'étaient que de finance, mais se confondent volontairement avec les hommes d'armes et rivalisent avec eux. Avec l'argent, la carrière des armes était aussi le meilleur moyen de l'ascension sociale mais convenait mieux aux nobles d'origine. Les autres grands bâtisseurs de l'époque furent les grands capitaines, pas tous de haute origine mais choisis aussi par le roi pour leur bravoure et leur ardeur dans les campagnes d'Italie. On voit encore au château d'Argy une belle galerie dont les piliers inférieurs sont une réplique assez fidèle de celle de l'aile Louis XII à Blois: il fut commandé par un de ses lieutenants, Charles de Brillac, qui fut tué lors des campagnes d'Italie, à Milan, en 1509.
Le maréchal de Gié, le cardinal d'Amboise et l'amiral de Bonnivet furent les autres grands bâtisseurs de l'époque. Le premier s'est distingué auprès de Charles VIII dans la campagne de Naples, devint gouverneur du château d'Amboise et bâtit le château du Verger et celui de Mortier-Crolles; le second fut le principal ministre de Louis XII qu'il entraîna à Gênes en 1507, où il triompha, devint vice-roi du Milanais, faillit être pape et construisit le château de Gaillon; le troisième, commandant en chef des armées de François Ier, négocia son élection à l'Empire, à la diète de Francfort en 1519, et le mariage du Dauphin avec Marie Tudor au Camp du Drap d'or. Il fit construire le château de Bonnivet en Poitou, aujourd'hui détruit.

Ces nouveaux riches, financiers, militaires, ecclésiastiques, furent de grands bâtisseurs. Et, parmi eux, les gens de finance furent gens de villes, notables, bâtisseurs urbains avant de l'être à la campagne. Ainsi, les villes de la Loire, Saumur, Tours, Amboise, Blois, Beaugency, Orléans, connurent des hôtels de ville rénovés et des maisons somptueuses que l'on peut voir souvent encore. Louis d'Orléans, à Blois, avait choisi ses serviteurs parmi ses fidèles: Jean de Saveuse, son chambellan, maire de Blois, avait fait refaire l'hôtel de ville, aujourd'hui détruit, près des quais de la Loire. «...Ne voit-on pas, dit Bernard Chevalier, des bouchers ou des marchands de bétail, tels que Jean Colas, Mathurin Doucet, Jean Callipel, Guillaume Cottereau ou Michel Boudet, quitter leur étal à Blois, pour entrer directement au service du duc d'Orléans...»[34]. François Doulcet devint maître de la Chambre aux deniers de Louis XII et entreprit des constructions dès 1451 au château de Beauregard, dans la forêt blésoise. Les Morvilliers, qui construisirent leur hôtel rue Pierre de Blois, étaient marchands de drap. L'un d'eux fut échevin en 1455. Un siècle plus tard, un autre était évêque d'Orléans et garde des Sceaux de Henri II. Un autre hôtel de la même rue appartenait à Villebrême, secrétaire de Marie de Clèves, fondateur d'une autre dynastie, tout comme les Phelippeaux, qui fourniront jusqu'au XVIIIe siècle plusieurs secrétaires d'Etat issus de cette famille blésoise qui avait un hôtel en ville et son château à Herbault, non loin de Chambord. Pierre de Refuge, propriétaire du château de Fougères-sur-Bièvre, est un autre hobereau parvenu: général des Finances d'Outre-Seine-et-Yonne de Charles VII en 1457, général des Finances de Languedoc et Langue d'Oïl sous Louis XI de 1469 à 1473 et gouverneur des Finances du duc d'Orléans. Cottereau, maître des Eaux et Forêts, se fit bâtir l'hôtel de Jassaud qui existe encore, rue Fontaine-des-élus.

De ces réussites, celle de Florimond Robertet est la plus extraordinaire. Grand financier de Louis XII, il édifia dans la ville un hôtel magnifique, qui rivalise avec les nouvelles constructions du roi – on peut encore en faire la comparaison rue Saint-Honoré – et, à deux lieues, l'immense château de Bury qui était en 1515 le plus moderne du royaume et qu'ornait en sa cour centrale une fameuse statue de David par Michel-Ange.

La ville de Tours n'était pas moins décorée de nouvelles maisons de ces nouveaux seigneurs. De l'hôtel du plus important d'entre eux, Jacques de Beaune de Semblançay, ne reste qu'un pan de mur à l'angle de la rue Colbert et de la rue Nationale, qui suffit à juger de son extraordinaire qualité et de son extraordinaire modernisme: ce mur, aujourd'hui isolé, reste une leçon d'architecture. Les vastes croisées imposent la clarté et la légèreté de l'ensemble, harmonieusement et rigoureusement calculé, agrémenté de décors fins à l'italienne. La «fontaine de Beaune», devant l'hôtel, avec ces légères arabesques, s'inspire directement de l'Italie. Si l'hôtel de ville de Tours, comme celui de Blois, a complètement disparu, les ensembles qui subsistent malgré les assauts de la destruction et de la restauration, principalement autour de la basilique Saint-Martin, donnent encore l'idée, comme le dit Paul Vitry, «...que ce fut là autrefois, du XVe au XVIIIe siècle, un quartier presque aristocratique, de grands bourgeois tout au moins...»[35]; les portes à accolades, les courettes à galeries aux arcades surbaissées, les tourelles d'escalier en hors-d'œuvre, marques de richesse sinon de noblesse s'y succèdent de porte en porte. C'est là que les Briçonnet, les Berthelot et les Bohier avaient leur hôtel, aujourd'hui disparu, mais on peut voir à l'angle de la rue du Commerce et de la rue Bouchereau le superbe hôtel Gouin, du nom d'un propriétaire tardif, car on ignore celui de son constructeur. Sa face nord est celle d'un manoir simple et même austère de la fin du XVe siècle; sa face sud, sur cour, est ornée de toutes les parures de la première Renaissance, à profusion. Des allèges aux hauts frontons qui coiffent les lucarnes, les décors en bas-reliefs envahissent toute l'étroite façade pour en afficher le luxe d'une manière ostentatoire. De ces maisons orgueilleusement ornées, on a perdu le nom des riches propriétaires, artisans, orfèvres, ou banquiers, mais les noms des rues où elles se dressent en ont gardé le sens: l'une des plus superbes montre ses sculptures en bois comme une figure de proue à l'angle de la rue du Change et de la rue de la Monnaie.

«Vue perspective du château du Verger en Anjou» début XVIe s. pour le maréchal de Gié Gravure d'Israël Silvestre – milieu XVIIe s.

1

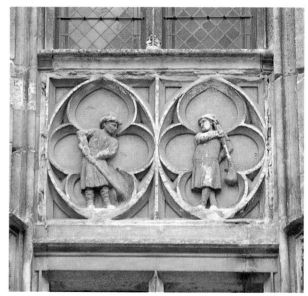

2

LA «GRANDE MAISON»

Bourges (Cher)
Hôtel Jacques Coeur – 1443–1450

Escalier nord sur cour, tympan de la porte   1.
Escalier principal sur cour, décor des allèges des fenêtres   2.3.4.
Cour intérieure et galerie ouverte   5.

3

4

...Les premiers effets d'une architecture de prestige adaptée à la demeure
d'un grand bourgeois: l'hôtel Jacques Coeur à Bourges, lorsque le roi de
France était devenu le roi de Bourges...

5

SUR LE MODÈLE ROYAL

Château de Fougères-sur-Bièvre
dès 1475 pour Pierre de Refuge – 1520
Galerie de la cour intérieure – 1510–1520   1.

Château de Talcy
dès 1520 pour Bernard Salviati
Cour intérieure   2.

Château d'Argy
milieu du XIVᵉ s. reconstruit pour
la famille de Brillac
Logis de Charles de Brillac – av. 1509
Galeries, ailes nord et ouest   3.4.

3

...Préfiguration de la «Cour» que constitue peu à peu autour de lui le monarque absolu, l'architecture des châteaux satellites du palais royal est saisie d'un phénomène de mimétisme...

4

1

2

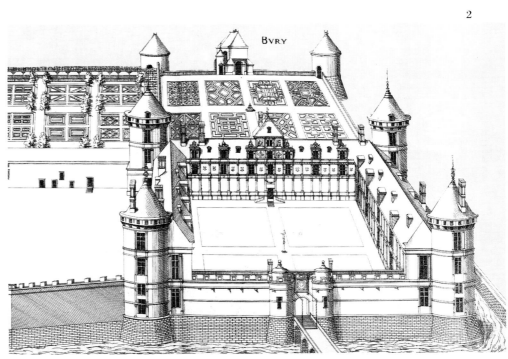

Blois (Loir-et-Cher)
Hôtel d'Alluye – 1508
pour Florimond Robertet, baron d'Alluye
Cour intérieure et galeries   1.4.
Baie de l'aile est   3.

Château de Bury
1511–1515 pour Florimond Robertet
«Élévation…du côté de l'entrée»   2.
Jacques Androuët Du Cerceau,
Les plus Excellents Bastiments de France,
1576–1579

3

...Les nouveaux riches ne sont plus des propriétaires terriens: ils bâtissent leur château pour paraître nobles, mais leur résidence principale est au cœur des villes marchandes...

4

UN NOUVEAU DÉCOR POUR DES VILLES FLORISSANTES

... C'est dans les villes que se font les véritables innovations architecturales, plus que dans les châteaux contraints dans le modèle médiéval. A Tours, les meilleures leçons d'architecture nouvelle sont données au cloître de la collégiale Saint-Martin ou, ici, sur la façade de l'hôtel de Beaune...

1

Blois (Loir-et-Cher)
Hôtel dit Salviati – fin XVe s.
Loggia sur cour   1.
Relevé de la façade – fin XIXe s.   2.

Tours (Indre-et-Loire)
Hôtel de Beaune-Semblançay
1506–1518 pour Jacques de Beaune
Corps de logis,
détails de la façade   3.4.

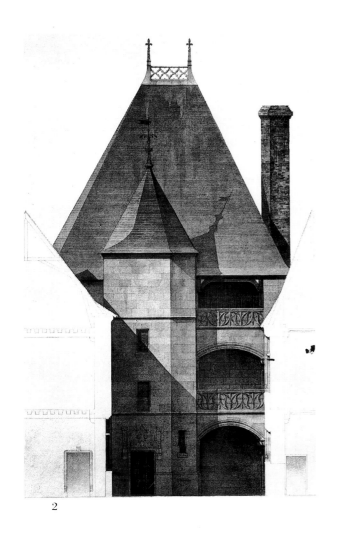

2

3

4

L'HÔTEL PARTICULIER, UNE ARCHITECTURE RAFFINÉE

1

2

3

Tours (Indre-et-Loire)
Hôtel Gouin – fin XVᵉ– début XVIᵉ s.

1. Porche d'entrée
2.3.4. Allèges des fenêtres, détails
5. Façade sud – v. 1510

4

...A l'architecture des châteaux et des églises, seule architecture de prestige et de pierre, s'ajoute désormais l'architecture civile et bourgeoise dans les rues confortablement reconstruites des villes du Val de Loire...

5

1

2

L'HÔTEL DE VILLE,

3

Beaugency (Loiret)
Hôtel de ville – dès 1525
Façade sur rue:
1. Fenêtres du premier étage
4. Baie et porche d'entrée

Saumur (Maine-et-Loire)
Hôtel de ville – début XVIᵉ s.
2. Façade vue des rives de la Loire

Loches (Indre-et-Loire)
Hôtel de ville
1535–1543
3. Façade place de l'Hôtel de ville et
porte Picois – XVᵉ s.

EXPRESSION D'UN POUVOIR

...L'organisation des municipalités, fortifiées par la guerre, est marquée par le début d'un urbanisme architectural – places, rues, fontaines – et surtout par l'édification de riches hôtels de ville dont s'ornèrent toutes les villes de la Loire dans la seconde moitié du XVe siècle...

4

5

un modèle, Azay-le-Rideau

Le trésor de l'Etat était devenu l'affaire de quelques familles. Gilles Berthelot est né dans ce berceau. La fortune des Berthelot remonte à son grand-père, Jean, qui fut un de ces bourgeois tourangeaux que Charles VII appela à siéger au Parlement de Paris lorsque, ayant reconquis la capitale, en 1436, il dut s'y reconstituer une administration fidèle qui tînt compte du nouveau paysage de la société et des forces en présence.

Conseiller de Charles VII, Jean Berthelot devint trésorier de Louis XI et maître de la Chambre aux deniers, c'est-à-dire qu'il veillait sur la cassette personnelle du roi. Son fils Martin assura les mêmes services à Louis XII. Il faut au passage noter cette remarquable continuité de la politique des rois qui, malgré des ruptures et de rudes différences de tempérament, les incita à s'associer les mêmes compétences et garder les mêmes alliances.

Le fils de Martin et petit-fils de Jean, Gilles Berthelot collectionna les charges et les honneurs sous Louis XII et sous François Ier. C'est grâce à cet argent accumulé, et à celui de sa femme Philippe Lesbahy, que fut bâti le château d'Azay-le-Rideau[36].

Gilles avait trois tantes: Jeanne, Marie et Gilenne. Jeanne fut la mère de Guillaume Briçonnet, grand bâtisseur; surintendant des Finances et cardinal, il organisa les campagnes d'Italie de Charles VIII et sacra Louis XII. Marie entra dans la famille des Fumée: son fils Adam fut garde des Sceaux; Gilenne dans celle des Ruzé: sa fille Jeanne épousa le fameux Jacques de Beaune de Semblançay, un des hommes les plus riches de France, le banquier du roi. Ainsi dans ces cinq familles des Berthelot, Fumée, Ruzé, Briçonnet et de Beaune, était concentrée une bonne part des richesses qui affluaient dans le royaume. Il faut enfin ajouter que Guillaume Briçonnet, avant d'entrer dans les ordres et de devenir cardinal, avait épousé la sœur de Jacques de Beaune de Semblançay. Ce cardinal avait eu une fille: Catherine Briçonnet, qui avait épousé Thomas Bohier, autre grand Tourangeau, le bâtisseur de Chenonceaux. Chenonceaux et Azay-le-Rideau sont donc intimement liés et les deux châteaux, comme leurs bâtisseurs, un peu cousins germains.

Au début de son règne, François Ier reconduisit le pouvoir du clan des Tourangeaux et l'accrut même: en 1517, Jacques de Beaune de Semblançay reprit la charge de surintendant et gouverneur général des Finances que Briçonnet, mort en 1514, avait laissée. Gilles Berthelot devient Troisième Président du Parlement et l'un des quatre trésoriers de France. Lorsque Thomas Bohier partit pour Milan, Berthelot récupéra sa charge de général des Finances pour la Normandie. Les terres d'Azay-le-Rideau étaient tombées entre les mains de deux familles: celle de Martin Berthelot, père de Gilles, et celle d'Antoine Lesbahy, autre riche bourgeois, qui avait une fille unique, Philippe, femme cultivée et d'un fort caractère. Un certain Janet du Bois-Jourdain, seigneur d'Azay, devait encore trois cents livres de rente à Lesbahy. Gilles Berthelot chercha à racheter cette rente. On a conservé les comptes des démarches qu'il fit faire pour cela à Chinon, à Loudun, à Tours et l'on sait jusqu'aux 8 sols et 8 deniers qu'un coursier dépensa à l'auberge[37]. Cet héritage fut la dot de Philippe. Le mariage fut célébré en 1518. Au cours de cette même année furent commencés les travaux du nouveau château sur une île de l'Indre et les vestiges d'un vieux manoir.

Quel château voulait-on bâtir? Un parfait quadrilatère, accosté de quatre tourelles non plus massivement postées en surveillance, mais, comme à Chenonceaux, accrochées aux angles en échauguettes, avec des toitures hautes à la française posées comme il se doit, sur un chemin de ronde semé de mâchicoulis.

Du vieux manoir d'Azay, on garde la grosse tour, et, comme un château-fort, il reste bordé d'eau, construit à même le lit de l'Indre. Mais cette allure traditionnelle est mitigée par des décors fins et abondants, un souci d'élégance, par la symétrie et la régularité des travées, un escalier enfin, droit, avec des paliers largement ouverts par un étagement de baies.

Le château doit beaucoup à la tradition, à l'idée qu'on se faisait de l'Italie, à Chenonceaux enfin, qu'on avait commencé de construire déjà entre 1514 et 1515. On entreprend sans compter. Gilles Berthelot est au faîte de sa puissance. Le chantier fut mené tambour battant et de cet empressement naît aussi l'harmonie qui séduit encore aujourd'hui le spectateur, car Azay jouit de cette homogénéité dans sa construction qui est bien rare parmi des châteaux dix fois rebâtis. En 1524, déjà, on bâtissait l'escalier et la hâte avec laquelle il fut édifié nous est connue par deux cahiers de comptes précis, heureusement préservés aux archives d'Indre-et-Loire, et qui révèlent les moyens importants dépensés pour aller vite[38].

Philippe Lesbahy contrôlait elle-même les travaux; elle semble avoir été la vraie commanditaire, en l'absence de son mari qui, lui, n'apparaît pas. Mais le 12 juin 1518, elle doit partir pour Angers et laisse alors à un homme de confiance, Guillaume Artault, abbé de Saint-Cyr, le soin de «veiller aux comptes du bastiment du château d'Azay». Ce n'était pas une mince responsabilité.

On y employait jusqu'à 131 manœuvres, 13 maçons et 7 charpentiers, qui travaillaient alors jour et nuit aux fondations, et qu'on payait chacun 15 deniers par jour et 20 par nuit. On voit donc que les clients ne lésinèrent point sur les moyens à mettre en œuvre. Le premier problème qu'on avait à résoudre était d'assécher le cours de l'Indre à l'endroit du chantier pour y établir des fondations, et les premières dépenses furent destinées donc à «... vuider les eaux et terres des fondements...». On trouve encore l'année suivante, le 10 juillet 1519, des dépenses pour «... vuider les eaux et terres pour faire certains fondements...» et l'on passa marché devant notaire avec un «estancheur» de Tours, Etienne Turmeau, pour le vidage des eaux avant d'étayer les murailles de «la chambre rouge». Pour cela, on a installé des pompes qui sont actives tout au long du chantier: «... A Jean de la Croix pour deux journées vacquées avec Thoreau le Maroy pour accoustrer la pompe..., baillé au pompeur pour abiller les pompes...». L'hiver, le travail ne cesse point et l'on doit payer «... seize paires de gants pour les massons...», et aussi «... le cordonnier pour avoir rhabillé les grands souliers desdits massons...» On emploie des faiseurs de seaux, des faiseurs de civières, des batteurs de peaux, des rabatteurs de pics... Mais l'essentiel concerne la fourniture de matériaux et leur acheminement par la rivière jusque sur le chantier.

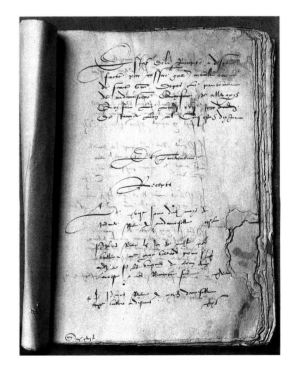

Dès 1518, on apporte les pierres de «libage», ces grosses pierres solides qu'on va sommairement équarrir pour les noyer dans les fondations, et de nombreuses «pipes» de chaux. On a ouvert des carrières à «L'Arrêt» et aux «Caves Mesquelières», mais les belles pierres viennent des carrières fameuses de tuffeau de la vallée du Cher, à Bourré et à Saint-Aignan: «... Pour les challandiers qui ont amené la pierre et le sable... pour les aydes aux charretiers... dépenses pour charrier la pierre de Bourray et Saint-Aignan depuis le Port-Bailbis jusqu'au château...» Les «chaussonniers» fournissent les «pipes» et les «pochées» de chaux.

Le chantier semble conduit par le maître maçon, Denis Gillonet, qu'on a fait venir de Paris, qui touche de fortes sommes sur lesquelles peut-être il rémunère ses aides, Pierre Rousseau, qualifié de «maître maçon», qui reçoit directement de Philippe Lesbahy cent livres tournois, Etienne Rousseau, Pierre Maupoint, etc. Philippe Lesbahy a aussi «envoyé de Paris» un charpentier, Thierry. Un autre, Jacques Thoreau, a abattu et équarri du bois «... pour faire des estayes pour estaier les murailles...». On n'en est pas aux charpentes mais aux échafaudages et surtout aux pilotis et coffrages indispensables dans ces fondations marécageuses. Jean Marcasseau est payé pour avoir «... vacqué de son métier de menuysier aux affaires dudit maître masson pour luy avoir fait plusieurs moules...».

Un second cahier, tenu par le même Artault de janvier à août 1519 à l'occasion d'un voyage de Philippe Lesbahy à Paris, nous montre l'avancement rapide des travaux: on y voit qualifier Pierre Maupoint de «sculpteur» aussi bien que de maçon; les livraisons de pierres se multiplient, ce ne sont plus les pierres «de libage», mais des pierres dûment mesurées en pieds, simples et doubles, et au mois d'avril 1519, on en fait des «marches de troys pieds», des «croisées garnies de croisons», des «quartiers pour faire les pieds droits». On en est donc déjà aux parties hautes: le château sort maintenant de terre. Un conflit éclate même entre les maçons à propos de «culs de lampe» que «...Pierre Maupoint ne voulait faire et disait que ne les devait faire ni que n'était de son marché pour ce payé...». Il semble que ce Pierre Maupoint se soit réservé des travaux autres que de «massoner et remplir les culs de lampe», ce qui fut fait par les maçons d'Etienne Rousseau pour 36 livres.

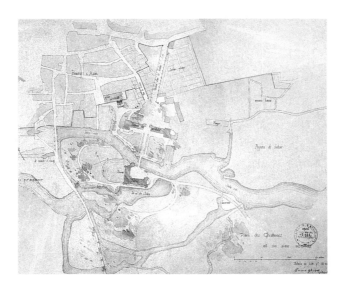

Château d'Azay-le-Rideau
Cahier des comptes de la construction
1518–1519

Azay-le-Rideau (Indre-et-Loire)
Plan de situation du bourg et du château
Relevé de J. Hardion – 1904–1906

Cela laisse à penser que plusieurs ateliers travaillaient simultanément sur ce même site, autre signe de la hâte que manifestaient les propriétaires à achever les travaux.

Dans les années 1520, les difficultés financières s'aggravèrent dans le royaume, et particulièrement à la cour de François Ier, dont le train luxueux, les constructions de Blois et de Chambord, mais plus encore les campagnes d'Italie, la diplomatie européenne et les ambitions à la couronne impériale ruinaient le trésor. Pour satisfaire les besoins énormes de ce roi dépensier, les pouvoirs des gens de finance se sont encore accrus. Gilles Berthelot fut chargé de lever un nouvel impôt qu'il avait lui-même mis au point, «l'amortissement», qui devait être prélevé sur tous les biens de l'Eglise. C'était prendre un risque énorme pour un gain qui ne le serait pas moins: en effet, non seulement l'Eglise restait un réservoir de trésorerie incalculable, mais encore le taux de ce nouvel impôt ne fut jamais fixé, laissant le trésorier libre de composer avec ses riches contribuables.

On imagine quelle marge de profit personnel lui abandonnait cette latitude. Mais il s'attirait alors l'hostilité de tous les grands propriétaires de l'Eglise, personnages puissants. Ainsi les financiers conjuguent contre eux la haine des peuples et l'envie des rois, dont ils conditionnent le destin. Ils résistent à la première, mais succombent à la seconde, contre laquelle ils ne peuvent rien. Les échecs répétés de la guerre rendent la conjoncture difficile: les généraux, en pleine campagne, se plaignent du manque d'argent; ils imputent leurs défaites aux dévoiements de fonds qui seraient le fait des hommes des finances. On les voit bâtir leurs châteaux pendant que, faute de recevoir leur solde, les mercenaires se débandent; les grands chefs d'armées, Lautrec, Bayard, Bonnivet accusent Semblançay, le plus puissant de ces bailleurs de fonds. Le 11 mars 1524, on ordonne un examen de ses comptes. Semblançay sent le vent du boulet, sa famille aussi, et Gilles Berthelot qui éprouve bien des déboires à lever son «amortissement», tandis que l'on construit l'escalier et les parties hautes de son château d'Azay. Malgré ces difficultés, François Ier repart en campagne en Italie. C'est la dernière fois; en 1525, il est battu et fait prisonnier à Pavie.

Pavie est un grand tournant dans le long règne de François Ier et marque l'abandon des chantiers de la Loire: des chantiers royaux d'abord, car le roi, au retour de sa captivité, n'y séjournera plus aussi continûment, des chantiers des financiers tourangeaux ensuite, car cette défaite militaire fut le signe de leur chute; le 3 janvier 1527, sitôt François Ier revenu de captivité, Semblançay fut embastillé et condamné à mort. Qu'il fût ou non véritablement coupable – Louise de Savoie, mère du roi, lui attribuait tous les malheurs de son fils – importe peu: le système des finances royales ne pouvait pas, on l'a vu, être pratiqué par des innocents, mais il est certain qu'il servit en l'occurrence de bouc émissaire. La population le comprit. On attendit sa grâce jusqu'au pied du gibet. On l'attendit six heures. Elle ne vint pas. Son fils aussitôt s'enfuit à Cologne, sa femme fut emprisonnée. Gilles Berthelot, qui avait sans doute tenté de le défendre, s'exila en hâte à Metz et mourut en exil à Cambrai deux ans plus tard. Azay-le-Rideau était et demeure un château inachevé: une moitié de château avec ses deux ailes en équerre qui ne connurent jamais de retour. La façade, à l'endroit où le chantier fut suspendu, en garde encore la cicatrice. De part et d'autre de cette couture, le peu de différence entre les appareils et les décors laisse à penser que la reprise ne dut pas tarder pour clore, au moins de façon provisoire, le château inachevé. François Ier le confisqua au profit d'un de ses capitaines, Antoine Raffin, qui ne continua pas les travaux. Le roi réclamait toujours à Gilles Berthelot 49399 livres pour prévarication. Philippe Lesbahy se battit avec ardeur, poursuivit en justice jusqu'en 1532 et ne transigea que vieille, en 1563! Le château du financier tourna court, comme la brillante carrière de son propriétaire.

Ainsi figé dans sa blessure, conservé presque intact dans sa construction primesautière, il possède cette fraîcheur un peu ingénue que les altérations du temps et des restaurateurs respectèrent assez pour qu'il offre encore aujourd'hui l'image du château modèle, l'archétype du château de la Loire. Le château d'Azay-le-Rideau est une de ces premières constructions où la volonté de symétrie des façades impose son ordre à tout l'édifice. S'il avait été achevé, sa rigueur symétrique aurait encore ajouté à cette impression d'équilibre, lui enlevant par là même un peu du charme pittoresque que lui confère le déséquilibre des deux ailes. Le grand escalier aurait été situé au centre de la façade (puisque la dernière travée de fenêtres à gauche lorsqu'on le regarde aurait été occupée par l'aile en retour), dans l'axe exact de l'entrée.

Quant à l'aile de l'entrée, on ignore quelle aurait été sa configuration: simple galerie comme le suggère Jean Guillaume[39], pour imiter les dispositions les plus modernes de Blois ou de Bury, ou poterne d'allure plus militaire, pour faire pendant à la grosse tour? Puisque cette tour a été conservée au prix d'un rattrapage oblique du mur nord qui montre l'importance qu'on attachait à sa conservation, et que ce souci d'équilibre ne pouvait laisser cette moitié d'aile sans réponse de l'autre côté, on peut bien retenir cette seconde hypothèse: elle permet de supposer que cette aile inconnue fut déjà à moitié construite par la simple présence de cette grosse tour et que la place est juste laissée pour son exacte réplique, mais nous ne connaîtrons jamais la réponse à cette question.

Pour satisfaire l'exigence mathématique de la régularité des façades, le maître d'œuvre a dû, comme ce fut par la suite si souvent le cas dans l'architecture classique, tricher avec les fenêtres. Sur la façade ouest, l'avant-dernière des cinq travées se trouvait juste dans l'axe du mur principal de la façade: elle n'ouvre donc pas sur une pièce mais sur un mur et cette absurdité fut préférée à la disgrâce d'une ordonnance irrégulière de la façade extérieure où les cinq travées de fenêtres s'alignent impeccablement au-dessus de leur reflet sur l'eau. Sur cette même façade, la porte sur l'eau – qui suppose l'amorce d'un pont – n'est pas au centre de la façade mais correspond à la porte ornée qui, de l'autre côté du bâtiment, sur la cour, est située au centre même de l'aile par laquelle on y pénétrait. Ainsi partout le maître d'œuvre a recherché la régularité visuelle, symbole d'un monde d'ordre et d'équilibre.

A Azay-le-Rideau, un point d'équilibre satisfaisant est atteint. D'une part, les lucarnes sont élevées au droit de la façade, ni en retrait du chemin de ronde, ce qui interrompt de façon disgracieuse son couronnement (comme au Lude), ni resurgissant du toit après une interruption du verticalisme, ce qui interrompt l'élan (comme à Valençay). Ainsi la guirlande de mâchicoulis court tout autour des façades extérieures sans interruption et sans non plus compromettre la verticalité, retenant la leçon du château de Gaillon, où fut pour la première fois adopté le système des pilastres superposés – heureuse italianisation des colonnettes que l'art gothique multipliait le long des murs –, et rejetant la leçon de la façade François Ier à Blois, où la corniche lourdement ornée masque le départ des lucarnes.

L'homogénéité du plan, sa simplicité et sa clarté ont résolu le problème toujours épineux des amortissements puisque les bandeaux horizontaux qui soulignent chaque niveau se prolongent tout autour du château, sans rupture et que, de même, les travées verticales jaillissent d'un seul jet du rez-de-chaussée au fronton des lucarnes, accompagnées de près par des pilastres discrets et, de loin, par les hautes toitures des tourelles, elles-mêmes ajourées de hautes fenêtres et coiffées de ferronneries effilées vers le ciel. Un dernier point renforce l'impression que ressent le visiteur d'un équilibre léger, calculé et maîtrisé, lorsqu'il fait le tour du château qu'on peut alors comparer à une sculpture. C'est l'usage relativement modéré du décor à l'italienne qui faisait alors fureur sur les bords de la Loire et ailleurs. L'art flamboyant avait des décors passionnés, que les bas-reliefs italiens alimentèrent après 1500 de façon tout aussi excessive: on le voyait à Gaillon et à Meillant, et à Tours même sur les façades surchargées de rinceaux de l'hôtel Gouin par exemple. A Azay, le décor affleure aux endroits névralgiques: à l'escalier monumental, pivot du monument, aux portes et, sobrement, aux pilastres de fenêtres, pour resurgir avec une sorte de jubilation aux parties les plus hautes et les plus éloignées de l'œil, aux frontons des lucarnes.

L'équilibre des panneaux pleins et des panneaux ornés se fait sentir autant que celui des travées pleines et des travées ajourées, puisque les uns ne l'emportent pas sur les autres et que le regard se pose en alternance sur chacun d'eux.

Si Azay-le-Rideau est célèbre aujourd'hui par son élégance, il faut en chercher l'explication non seulement dans la clarté de son dessin qui ajuste au mieux les vides et les pleins, les horizontales et les verticales, mais aussi dans les circonstances de sa construction qui, menée promptement et d'un seul jet, assure à l'ensemble une homogénéité que les restaurations du XIXe siècle ont su ne pas compromettre. Contrairement à Chenonceaux prolongé d'un pont totalement hétérogène, et à presque tous les autres châteaux auxquels les ailes disparates, reconstruites au fil des siècles, donnent des allures souvent monstrueuses ou chimériques, Azay est l'un des rares exemples d'une construction primesautière, homogène et dont l'idée du moins – sinon les pierres elles-mêmes – est demeurée intacte.

Château d'Azay-le-Rideau
1518–1527
Façade nord, chapiteau

L'APPROCHE

. . . Dans l'échancrure d'une vallée, le château ne reprend du site médiéval
que son agrément. L'environnement n'a plus rien de défensif; aux eaux
stagnantes des douves en glacis se substituent celles de la rivière, pacifi-
que véhicule de la richesse. . .

2

Château d'Azay-le-Rideau
1518–1527 pour Gilles Berthelot

Rives de l'Indre   1.
Accès au château dans l'axe du grand escalier   2.

LE PLAN ET L'ACCENT DES TOURS D'ANGLE

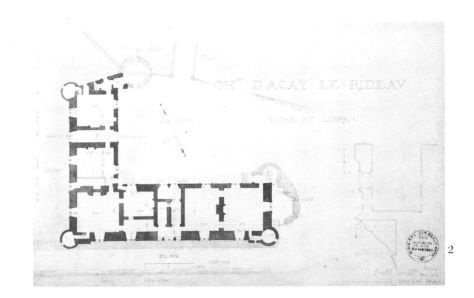

Château d'Azay-le-Rideau
1518–1527

1. Tourelle de l'angle sud-ouest
3. Vue de la façade est

2. Plan du rez-de-chaussée
   Lavis de J. Hardion – 1904–1906

. . . Fermé sur lui-même et ne s'ouvrant complaisamment qu'à l'intérieur de sa coquille, le plan demeure militaire, mais de façon symbolique: le corps de logis l'emporte sur la tour qui pare les angles plus qu'elle ne les flanque, à l'exception du donjon auquel sont attachés les privilèges de la noblesse. . .

3

L'ORDONNANCE DE LA FAÇADE

...L'élan vertical toujours fortement marqué, selon la tradition religieuse et
militaire, s'équilibre désormais de lignes horizontales qui semblent vouloir retenir le château à terre, évoquant autant les aises de son propriétaire que les envolées spirituelles...

2

3

Château d'Azay-le-Rideau
1518–1527

Façade ouest 1.
Façade sud 2.

Façade sud 3.
lavis de J. Hardion

LE DESSIN

...On peut parler de graphisme devant ce souci de rationaliser le décor, dédié aux seuls encadrements et amortissements, points névralgiques de l'architecture. La façade se lit comme un texte, avec son frontispice, ses bandeaux, ses lettrines et ses marges, préfigurant l'ordonnance de la pensée classique...

Château d'Azay-le-Rideau
1518–1527

1. Tourelle de l'angle sud-est, détail
2.3. Façade sud, détails de l'ordonnance
4. Tourelle de l'angle sud-ouest, cul-de-lampe

1

L'ESCALIER

3

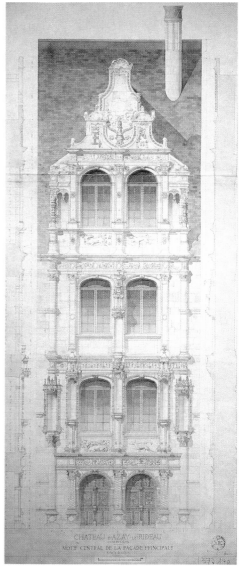

2

Château d'Azay-le-Rideau
1518–1527

Façade nord, le grand escalier sur cour:
Niches à dais, détails de l'ornementation 1.5.
Fenêtres jumelées du 1er niveau 3.
Vue plafonnante 4.

Elévation, 2.
lavis de J. Hardion

4

...L'escalier est le morceau de bravoure de l'architecture des châteaux de la Loire, riche en symbolisme plus que fonctionnel; représentation théâtrale d'une ascension calculée, il est l'axe autour duquel s'organise l'édifice...

5

1

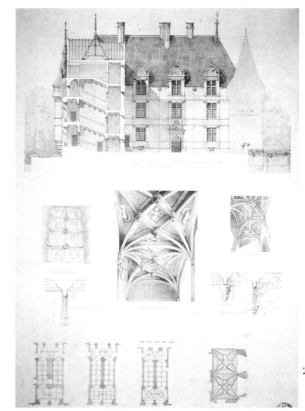

2

Château d'Azay-le-Rideau
1518–1527

Grand escalier, intérieur:
1. Main courante, détail
3. Voûte du 4ᵉ palier
4. Volée du premier niveau

2. Coupe, plans et détails,
lavis de J. Hardion

3

4

...C'est l'escalier qui donne accès à l'intérieur du bâtiment par un passage triomphal. La cage d'escalier, axe principal de circulation de l'édifice, est largement ouverte vers l'extérieur, le décor en est particulièrement riche et soigné...

LE DÉCOR DES OUVERTURES

. . . Sur la façade, l'ornementation est désormais retenue près des ouvertures
et le long des corniches; la débauche décorative des édifices flam-
boyants trouve ici sa discipline. Mais les motifs, quoique discrets, n'en
demeurent pas moins chevaleresques et guerriers. . .

1

2

Château d'Azay-le-Rideau
1518–1527

Portes:
Escalier du donjon   1.
Accès au grand escalier   2.
Façade ouest, sur les douves   3.
Façade est, sur cour   4.

Château d'Azay-le-Rideau
1518–1527

Lucarne du grand escalier:
Façade nord   1.
Façade sud, lavis de J. Hardion   2.

Lucarne façade ouest   3.

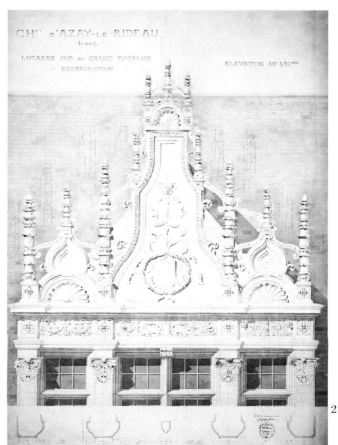

3

...Mesuré sur les façades, le décor flamboyant teinté d'italianisme se
déploie aux lucarnes. Hypertrophiées, elles tendent l'édifice vers le haut
et lui dressent une véritable couronne...

...L'extension des toitures pointées vers le ciel confère au château privé une distinction jusqu'alors réservée aux églises. Le maintien d'une tradition architecturale française de «l'élévation» dissimule un transfert du pouvoir: la même coiffe ne recouvre plus le même édifice...

Château d'Azay-le-Rideau
1518–1527

Epis de faîtage 1.2.
Tourelle de l'angle sud-est,
détail de la toiture 3.

6 les variations

Parmi tant de constructions nouvelles et rivales, Azay-le-Rideau n'est ni la première, ni la plus moderne, ni la plus grande, mais celle qui manifeste le mieux les principaux caractères et circonstances de cette floraison. Nous y voyons, comme l'écrit Jean Guillaume à son propos: un «... édifice exemplaire qui résume parfaitement ce que fut vers 1520 en Touraine, dans l'entourage du roi, le nouvel idéal de l'architecture française...»[40].

Par l'époque de sa construction d'abord, il est au cœur du grand chantier de la première Renaissance: après les premières grandes expériences de modernisation du château de Gaillon, terminé en 1510, et la construction du Verger et de Bury, entre 1511 et 1515, les maçons de la Loire sont alors prêts à développer à leur manière les leçons que les nombreux voyageurs et le roi lui-même leur rapportent de Naples, de Milan ou de Pavie, qu'ils entendent mais dont ils ne profitent que par ouï-dire – puisque aucun ouvrage n'est encore traduit et que, sans doute, nombre d'entre eux ne savent pas lire ou, tout au moins, ne sont pas des théoriciens.

Entre 1515 et 1519, la conjoncture est à son point le plus favorable: un roi jeune, riche, entreprenant, candidat à l'Empire, jusqu'à son élection manquée de 1519 qui commence de ruiner et sa fortune et sa réputation. Vers 1515 est entrepris Chenonceaux, sur un plan résolument original, en 1516 Bonnivet où l'ordonnance des travées et l'ouverture, au centre de la façade, d'un escalier décoré par des baies géminées, précèdent directement l'esprit d'Azay-le-Rideau. A ces mêmes dates le roi orne de loggias et d'un escalier théâtral la dernière aile qui restait à rebâtir de son château de Blois et, en 1519, après avoir abandonné les projets grandioses que Léonard de Vinci, qui meurt cette année-là à Amboise – dans ses bras, dit la légende –, a préparés pour son château de Romorantin, entreprend Chambord, qu'il ne finira jamais.

Tous ces châteaux et beaucoup d'autres qui les accompagnèrent eurent donc en commun de profiter à la fois d'une expérience technique des artisans que la richesse française des cinquante dernières années avait cultivée et enhardie, et des idées nouvelles que l'esprit d'entreprise, militaire et politique pour les rois, commercial et bancaire pour les financiers, prenait pour règle et pour modèle.

Il n'est pas invraisemblable que les palais environnés de canaux de Venise, aux galeries largement décolletées sur l'eau, aient servi de référence à Chenonceaux, comme l'a ingénieusement montré Jean Guillaume[41]. Mais il se trouve aussi que ce parti audacieux de camper un château sur les piles d'un moulin pour l'asseoir dans le lit même de la rivière rencontrait l'ancienne habitude des châteaux-forts ceinturés de douves ou juchés sur des presqu'îles aisément défendables. Ainsi Azay-le-Rideau sur son île compose avec l'agrément, l'utile – la rivière est une voie d'accès – et la tradition. Entre la profonde douve qu'on voit encore au château du Moulin, près de Romorantin, et le jeu artificiel de canaux dont Léonard de Vinci se proposait d'enlacer les châteaux du roi à Romorantin même, si l'idée n'est plus du tout la même, la ressemblance n'est pas lointaine. L'on admire aujourd'hui, comme des plans d'eau reposants, les larges douves où se reflète le château du Plessis-Bourré, qui pouvaient n'être qu'un appareil défensif. Cette équivoque est au cœur même de l'esprit de cette période de la Renaissance où la chevalerie consomme en panache les richesses que lui apporte l'économie moderne. Il faut simplement noter qu'à l'eau stagnante et close qui était le cadre ordinaire du château-fort, les financiers de Chenonceaux et d'Azay ont préféré le paysage d'une eau courante qui symbolise mieux leur goût de la circulation et du mouvement des biens.

Comme le choix du site, celui du plan du château participe d'une même ambiguïté. Ces châteaux sont, traditionnellement, des polygones flanqués de tours. Chenonceaux, en demeurant massif, sans ailes et avec des tourelles atrophiées accrochées à ses angles, innove, mais le modèle dominant du château-fort, à Chaumont, à Ussé, comme au Verger et à Bury, se poursuit à Azay. Léonard de Vinci travaillant pour Charles d'Amboise à Milan n'en connaît pas d'autres et Chambord s'élèvera finalement sur ce vieux schéma bien qu'une maquette en bois, dont seul le souvenir et le dessin nous ont été transmis, ne montre qu'un seul massif cloisonné intérieurement comme Chenonceaux et comme le seront bientôt les châteaux classiques[42].

Les tours se dégradent, mais l'élément de substitution que constitue la tourelle en poivrière, plus discrète et élégante, fait encore partie du répertoire médiéval. En revanche, le pavillon carré, qu'on voit apparaître au cœur de l'aile centrale de Bury, puis aux angles de Villesavin — ce petit château moderne que se fit construire, au bord du parc, le contrôleur des travaux de Chambord en 1537 —, constitue une véritable mutation en architecture, la tour militaire devenant pavillon de plaisance. Les ailes fortifiées, lorsqu'elles subsistent, s'allègent un peu partout et se transforment en galeries, d'abord prudemment ouvertes du côté cour, à Blois — aile Louis XII — et à Bury, ou perchées en terrasse, à Gaillon, mais assez vite, plus largement jusqu'à s'effacer à Villesavin encore ou au Gué-Péan[43], préfigurant le château sans cour ni tour, le simple pavillon aux angles nets comme celui que Du Thier fit reconstruire dès 1545 à Beauregard près de Blois. La multiplication des possibilités ouvertes aux architectes par cette recherche nouvelle rend incertaine toute hypothèse quant au plan qu'aurait adopté celui d'Azay pour sa clôture. Le verticalisme fortement marqué des élévations est, dans son principe, l'empreinte que laisse l'architecture traditionnelle française aussi bien militaire que religieuse. Mais l'effort de régularisation qu'on lui impose, de façon inégale à Bonnivet et presque parfaite à Azay-le-Rideau, participe d'un élan nouveau. L'unité spectaculaire des façades se mesure en «travées», c'est-à-dire en tranches verticales fortement soulignées par des textures apparentes — colonnettes dans l'art gothique puis, à partir de Gaillon, pilastres à l'antique —, que surenchérissent des lucarnes pointues accostées de pinacles ou de candélabres.

Rien n'est plus gratuit que l'ampleur donnée aux lucarnes, si caractéristiques des châteaux français du XVe siècle, répondant aux gâbles démesurés des portails des églises flamboyantes. C'est là l'héritage d'une esthétique de l'élévation, venue tant des églises que des nécessités de la défense qui fait éclore les parties nobles du château au sommet même des tours, garnissant les fortifications de superstructures aériennes tout en dentelles et en vitrages. Il n'est que de voir, au château de L'Islette, aux portes d'Azay-le-Rideau, dont les lucarnes ont été rasées et la toiture abaissée au ras du mur de façade, l'effet désastreux de cette amputation.

Les châteaux de cette période, jusqu'à Chambord, sont encore tout tendus vers le haut, l'élan leur étant donné dès le sol par des travées de fenêtres relancées d'étage en étage par des filets qui traversent la toiture jusqu'à «l'apogée» de la lucarne. A Azay-le-Rideau, l'hypertrophie de la lucarne a été poussée très loin, mais non pas celle des cheminées, qui jouent le même rôle, à Chambord et, d'une façon presque caricaturale, à Villegongis, le long des toitures très élevées et dites justement «à la française» parce qu'elles font partie de la tradition.

La nouveauté du Val de Loire, qui présume des modes à venir, c'est que cette ascension quasi sublimée des formes, caractéristique de l'art flamboyant, trouve son contrepoint terrestre dans l'établissement systématique de modénatures horizontales: elles semblent vouloir retenir le château à terre, dans une ligne d'horizon qui, peu à peu, va l'emporter dans l'architecture civile, évoquant davantage les aises confortablement assises du seigneur-propriétaire que les envolées dominatrices et spirituelles. Le modèle

Château de Bonnivet
dès 1516 pour l'amiral de Bonnivet
Gravure par F. de La Pointe d'après
François de La Guertière – fin XVIIe s.

sous-jacent de cette nouvelle exigence esthétique apparaît aux origines mêmes du pouvoir des financiers en France: dans l'hôtel somptueux — véritable château en ville — que Jacques Coeur se fit bâtir à Bourges au milieu du XVe siècle où les étages sont horizontalement signalés par des filets en relief. Cette nécessité d'équilibrer les aspirations verticales par un développement horizontal, qui était une condition pour les hommes d'argent, devint aussi une vertu pour les hommes politiques. François Gebelin a raison d'accorder aux modénatures horizontales qui courent au long des façades des châteaux de la Loire une importance majeure, bien que ce symptôme n'apporte aucune révolution dans les structures architecturales et soit encore tout de surface, preuve, s'il en faut, de son caractère essentiellement symbolique.

Le résultat de ce double développement vertical et horizontal est un quadrillage de la muraille ainsi compartimentée en panneaux dont on souligne l'autonomie par des motifs centraux, comme sur l'aile François 1er dans la cour de Blois par exemple. Ce réseau tissé à même le mur atteint des exagérations comme à Veuil où chaque élément — fenêtre, linteau, allège — donne naissance à une moulure rectiligne qui suit son cours, imperturbablement , jusqu'aux extrémités, se croisant et recroisant de façon mécanique et donnant à la façade du château les allures d'une épure ou d'une leçon de géométrie.

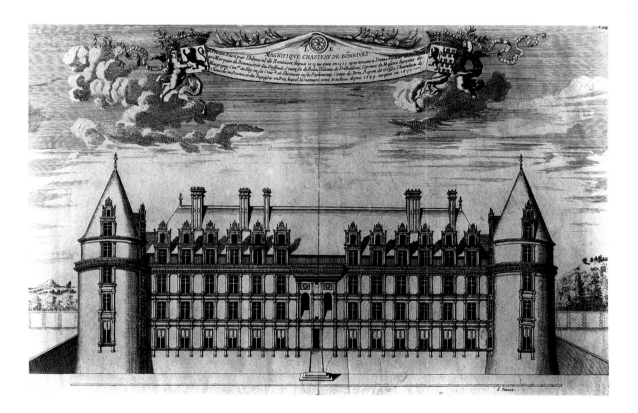

On retrouvera dans la plupart des châteaux de la Loire ce souci de rendre visible de façon toute symbolique une structure qui, en fait, n'aurait nul besoin d'être apparente et l'effet de rationalité qui en ressort est purement esthétique. C'est une grande nouveauté que ce souci de la raison idéale et systématique en architecture qui annonce la pensée classique. Jusqu'alors, les dispositions intérieures dictaient celles de la façade; désormais l'ordre de la façade est prioritaire, impose la succession linéaire des salles et se poursuit s'il le faut en trompe l'œil pour achever une série symétrique de travées. Le château est littéralement «mis au carreau». Son plan intérieur s'en trouve jugulé et ramené à sa plus simple expression de grandes salles en enfilade, souvent indifférenciées; cuisine, salon, chambre, antichambre se succèdent au même plan, réduisant à son tour le château dans son ensemble à n'être plus qu'un instrument de parade, impropre à toute fonction spécifique et d'abord à l'habitation. La construction idéalisée ainsi édifiée est surtout un monument propice à la promenade, à la chasse, à la fête, à la réception, mais fort peu à la demeure dont les contraintes s'accorderaient mal aux lignes rigoureuses et élémentaires du dessin. Si les maçons de la Loire maîtrisent mal cette rigueur – à Blois elle n'est qu'une velléité, à Bonnivet la façade n'est régulière, dit Jean Guillaume, que sur le dessin qui nous en est resté[44], à Azay, on se souvient de la fenêtre ouverte devant un mur –, ils sont plus novateurs par ces maladresses que par l'impeccable appareil dont ils étaient devenus, depuis des générations, des virtuoses. On le constate également dans leurs efforts courageux pour changer le plan des escaliers, et les balbutiements qui font que parfois paliers et étages ne coïncident pas – dans cet hôtel particulier, modeste il est vrai, du 7 rue Porte Chartraine à Blois – sont plus riches d'avenir que les impeccables vis tournoyant dans les avant-corps du château de Blois et au sommet desquelles jaillit un flot de nervures en palmier.

L'escalier fut le morceau de bravoure des architectes de la Renaissance[45]. Il faut y voir aussi des raisons plus symboliques que fonctionnelles: on n'avait pas plus de raison de monter aux étages au XVIe siècle qu'au Moyen Âge. Et là encore la tradition architecturale française fut magnifiée par le modernisme venu d'Italie. On voyait bien dans les cours médiévales l'importance que prenait la grande vis qui fait saillie sur le corps de logis, devient le support ornemental majeur – le cas de Meillant est presque caricatural – de la façade et s'ouvre sur de timides loggias comme au dernier étage du château de Nantes. La façade de Châteaudun est significative. Des deux corps de logis qui sont juxtaposés, l'un du XVe siècle, l'autre du début du XVIe, chacun possède son escalier comme si l'architecte du deuxième chantier n'avait pu s'empêcher de rivaliser sur ce point obligé. Les deux sont à vis mais le second se révèle plus somptueux, plus lourdement chargé, plus largement ouvert que le premier et la comparaison nous est complaisamment offerte comme dans une exposition où les deux modèles s'accrocheraient côte à côte sur une même cimaise. De cette théâtralisation de l'escalier médiéval, le dernier acte, en forme d'apothéose, se jouera dans la cour du château de Blois, vers 1519, avec l'édifice, à lui seul suffisant, de l'escalier François Ier, toujours à vis, toujours en saillie, mais totalement ajouré et truffé de décors. A ces développements extrêmes, l'Italie apporte deux nouveautés: le goût des loggias, galeries et tribunes, et l'escalier droit avec des retours rampe sur rampe.

Ce qui montre assez que l'italianisation ne fut pas un simple placage de formules mais une véritable appropriation de formes étrangères[46], c'est le nombre de solutions intermédiaires qu'essayèrent les maçons français pour déplier l'escalier à vis sans pour autant perdre sa grâce et l'avantage qu'il avait d'être économe en surface. A Josselin tout d'abord, vers 1510, un escalier droit mais sans palier vire autour d'un axe au bout de chaque rampe comme le fera quelques années plus tard celui de Chenonceaux où chaque volée s'achève sur une tribune. A Bonnivet, l'avant-corps contenant l'escalier est totalement intégré au centre de la façade, en est l'élément majeur, de part et d'autre duquel la symétrie est répartie. Cette idée est répétée à Azay-le-Rideau avec un escalier droit à paliers, chaque palier largement et doublement ouvert en tribune sur la cour dans une débauche d'ornements. L'escalier droit, sous une voûte en plein cintre garnie de caissons, connut ensuite des développements dans la région de la Loire vers 1540 à Poncé-sur-le-Loir, au dortoir des religieuses de l'abbaye de Fontevrault – où il monte d'une seule rampe, sans retour – avant d'être adopté au Louvre de Henri II. On peut voir, dans la cour du château d'Ecouen par exemple, la version adulte d'un escalier monumental dont les paliers servent de tribune dans l'avant-corps central d'une aile sur cour, selon la formule dont Bonnivet et Azay-le-Rideau nous montrent l'adolescence.

Le phénomène de l'hypertrophie de l'escalier dans les châteaux de la Loire connaît son apogée à Blois et à Chambord. Il est impossible à Chambord de séparer – tant ils sont intimement enchevêtrés – ce que l'escalier doit à cette tradition de l'escalier monumental, quasi mystique, lieu où se manifeste l'ascension royale et l'absolutisme, et ce qu'il doit à l'ingéniosité italienne de Léonard de Vinci[47], qui s'appliquait à dessiner les escaliers entrecroisés, comme des mécaniques de précision, comme le roulement à billes et tous les instruments *de levage*. L'escalier devient alors le modèle de la technique grâce à laquelle l'économie de production prend son essor. A Chambord, comme dans la France de cette période, les deux symboles coexistent et, peut-être aussi telles les deux envolées imbriquées l'une dans l'autre, étanches l'une à l'autre, mais visibles de l'une à l'autre, ne se rencontrent pas encore.

Sur ces façades traitées pour elles-mêmes, le décor en bas-relief trouve un terrain de choix pour se répandre[48]. Là encore, la prolifération d'un décor de surface, tendant à remplir tout panneau laissé vide, est un mouvement du dernier art gothique. Les lucarnes sur cour de Josselin, l'escalier de Meillant sont torturés de flammes, comme les architectures religieuses. L'imposition d'un ordre rigoureux canalise, dans les châteaux de la Loire, ce décor et le contient dans quelques parties mieux définies: autour des ouvertures, de part et d'autre des portes et des fenêtres, aux linteaux et aux allèges, tout au long des corniches qui peuvent prendre comme à Blois des proportions énormes, ou des balcons, à Amboise par exemple. Enfin, le décor se déploie librement sur les frontons des lucarnes, les cheminées et les ferronneries. Ce qu'on voit apparaître alors, c'est d'une part cette discipline qui contient le décor sans les débordements que connut l'art flamboyant, et d'autre part l'utilisation de motifs italiens juxtaposés, ou mélangés aux motifs gothiques. Si la nouvelle architecture, en effet, voyageait mal et ne pouvait rapidement bouleverser les modes séculaires des chantiers et les enseignements empiriques des maçons, en revanche, les modèles décoratifs se diffusaient aisément par la gravure, la broderie, les tissus, la céramique et la majolique, l'ébénisterie, la joaillerie, l'imprimerie même avec les motifs des bandeaux et des frontispices. On trouve donc très vite, après les campagnes d'Italie, au portail des églises et des châteaux l'usage bien maîtrisé de motifs à l'antique: rinceaux, candélabres, arabesques, *putti*, etc. – à Amboise par exemple, à Gaillon, à Bury, puis à Chenonceaux, Azay-le-Rideau et Chambord – de même que cette nouvelle mode envahit aussi l'architecture religieuse, dont la tradition ornementale était pourtant particulièrement forte et riche en France. On voit ainsi les portails de la chapelle d'Ussé, de la collégiale de Montrésor ou de celle des Roches-Tranchelion se creuser de niches arrondies, et les fleurons venus de la Chartreuse de Pavie remplacer les feuilles de choux de l'art flamboyant.

Le travail du décor des lucarnes, aux dimensions disproportionnées sur les toitures des châteaux du XVe et du début du XVIe siècle est le plus remarquable et le plus significatif. Il s'y livre une véritable lutte d'influence entre les formes flamboyantes, d'origine nordique, aux courbes tordues et brisées comme les écritures «fracturées» germaniques, et les formes arrondies de l'art italien, bombées et équilibrées comme les caractères d'imprimerie d'Alde Manuce. Les décorateurs français des frontons des lucarnes hésitèrent longtemps entre le gâble pointu accosté de pinacles et la coquille ronde accostée de chandeliers et chacun invente son motif mitigé souvent de l'un et de l'autre. Il en sort des formes complexes, imprévisibles, à courbe et à contre-courbe qu'on voit à Chenonceaux, à Azay-le-Rideau, à Ussé, à Chambord. Le monde méditerranéen gagne constamment du terrain à cette époque où le modèle économique et politique vient du sud et non des Flandres lorsque la France, pour un temps, est contrainte de tourner le dos à l'Empire. Le décor de ces châteaux s'italianise donc et s'astreint à respecter les structures de la construction, soulignant là encore de façon ostentatoire les axes fonctionnels du bâtiment – ouvertures, étages, escalier –, en évitant de plus en plus d'envahir les murs comme une tapisserie de pierre. De nouveaux motifs apparaissent en force, ceux des attributs guerriers d'un pays conquérant. A Azay-le-Rideau même, château peu militaire, les rinceaux s'organisent autour de motifs exclusivement chevaleresques: carquois et flèches, hallebardes, sabres, cuirasses et torches. Mais le motif vedette, de loin visible et accroché en majesté aux balcons et aux frontons, c'est l'initiale du nom des propriétaires, ou l'emblème qu'ils se sont choisi, à la mode italienne. A Azay-le-Rideau, le G.B. de Gilles Berthelot, le P.L. de Philippe Lesbahy nous rappellent à tout instant que nous sommes non plus dans un lieu de rassemblement, mais dans une propriété privée, et cela, dans l'histoire du château, est la plus profonde des innovations.

UNE NOUVELLE ORDONNANCE, L'ÉQUILIBRE DU DESSIN

Château de Valençay
dès 1520 pour Louis d'Estampes de Valençay
Pavillon d'entrée – entre 1540 et 1579
pour Jacques d'Estampes
Façade sur cour   1.

Château de L'Islette
v. 1530 pour René de Maillé
Façade sud-ouest   2.

Château du Lude
dès 1457 pour Jehan de Daillon
Logis sud et tours d'angle – 1520–1530   3.
pour Jacques de Daillon

...La recherche de l'équilibre dans le dessin de la façade privilégie la stabilisation des lignes et la mise en valeur de l'horizontalité...

1

2

3

Château de Blois
Aile François I⁰ʳ – 1515–av. 1524
Façade sur cour, détail   1.

Château de Valençay
Pavillon d'entrée – entre 1540 et 1579
Façade sur cour, détails   2.3.

Château de Veuil
début XVIᵉ s. pour Jacques Hurault
achevé par Jean I⁰ʳ Hurault – 1541
Tour d'angle du corps de logis   4.

LES LIGNES DE FORCE

... La rigueur des lignes de force est ostensiblement soulignée, symbolisa-
tion de l'ordre et de la maîtrise géométrique des plans et des surfaces
dans un quadrillage systématique...

1

. . . Le décor devient organique, lié aux structures de l'architecture, et marque un désir de rationaliser la fantaisie. . .

LE DÉCOR ACCENTUANT LA STRUCTURE

Château de Villegongis
1531–1538 pour Jacques de Brizay
Corps de logis et tours d'angle   1.
Ornements de la façade   2.4.

Château du Lude
Logis sud – 1520–1530
Tour d'angle, encadrement de fenêtre   3.

L'ESCALIER, SON RÔLE MAJEUR

Château de Châteaudun
Aile de Longueville – 1500–1532
Escalier Renaissance – 1511–1518   1.
Retour de l'aile de Dunois – 1459–1469
Escalier gothique – fin XVᵉ s.   2.

Château de Blois
Aile François Iᵉʳ – 1515–av. 1524
Escalier – 1519–1520   3.

...L'escalier, en jouant sur l'absence et la présence de ses retours et de ses paliers, construit une véritable dramaturgie de la façade...

3

Château de Blois
Aile François Ier – 1515–av. 1524
Escalier – 1519–1520
1.   Voûte nervurée tournant sur le noyau
2.   Vis, détail de la balustrade

Château de Châteaudun
Aile de Longueville – 1500–1532
Escalier Renaissance – 1511–1518
3.   Noyau et marches rayonnantes

L'ESCALIER, ÉLÉMENT MOTEUR

> ...L'escalier anime l'édifice, il en est le moteur, à la manière des machines
> de levage qu'imaginait Léonard de Vinci...

3

1

L'APPARITION DE L'ESCALIER DROIT

2

Château de Poncé-sur-le-Loir
1525–1535 pour la famille de Chambray

Escalier, vues intérieures:
1.4.   Volées avec voûtes en berceau
2.3.   Voûtes, détails des caissons

3

...L'escalier à vis, peu propice aux cortèges majestueux, fait place peu à
peu en France à l'escalier droit qui, apparu à Josselin et à Bonnivet vers
1510, puis à Azay-le-Rideau et à Poncé-sur-le-Loir, gagne bientôt l'architecture civile classique...

4

1

2

L'ESCALIER, LIEU DE MISE EN SCÈNE

Château de Chambord
Le Donjon – 1519–1539

1.2.   Chapiteaux de l'escalier – v. 1530
3.4.   Salles des gardes et escalier central
     à double révolution
     d'après une idée de Léonard de Vinci

3

4

...L'escalier, largement exposé au centre du château, est conçu comme le
lieu de mise en scène du maître des lieux et de ses hôtes...

DERNIÈRE FLAMME DE LA CHEVALERIE,

LA LANTERNE DE CHAMBORD

Château de Chambord
Le Donjon – 1519–1539
Escalier, vue plafonnante 1.
Tour lanterne, vue de la terrasse 3.

Léonard de Vinci
Etude pour un escalier, des fortifications
et une tour lanterne – dessin à la plume 2.
entre 1516 et 1519

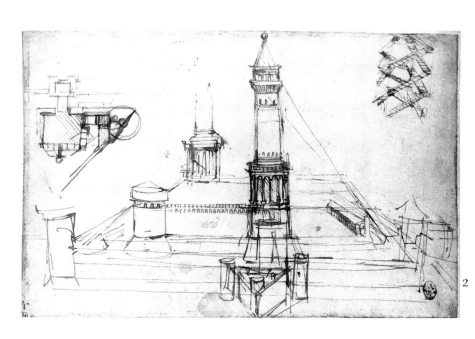

...L'escalier de Chambord devient une construction quasi mystique, semblable à un temple ou à un phare, qui symbolise à l'évidence le monarque absolu et éclairé...

L'INFLUENCE DE PAVIE

Chartreuse de Pavie
Eglise – 1433–1473   1.
Façade, détails   2.3.
G. A, Amadeo, architecte – de 1481 à 1499
B. Briosco, C. Lombardo, sculpteurs – début XVIᵉ s.

Château de Chambord
Le Donjon – 1519–1539
Façade nord-ouest   4.

...Le souvenir de la Chartreuse de Pavie, qui avait pu être admirée par les Français pendant leurs campagnes d'Italie, semble hanter le château de Chambord, où l'ardoise remplace le marbre noir et où les tours prennent des allures de campaniles...

UNE VERVE FLAMBOYANTE

Château de Chambord
Le Donjon, terrasse ouest et toiture

Ornementation:
Chapiteaux d'angle   1.
Aileron de lucarne   2.
Culs-de-lampe   3.4.

4

...Culs-de-lampe et chapiteaux apparaissent çà et là, comme des retom-
bées ou des survivances de la verve flamboyante intégrées dans le nouvel
ordre de l'architecture...

1

LE GOÛT POUR «L'ANTIQUE»

...Coquilles et rinceaux s'affrontent autour des portes et des lucarnes où le goût pour «l'antique» livre un combat victorieux contre le goût «gothique»: *putti* et candélabres contre pinacles à feuilles de chou...

2

Château de Blois
Aile François Ier – 1515–av. 1524
Escalier – 1519–1520
Médaillon du soubassement   1.

Château d'Ussé
Chapelle de la Collégiale – 1523–1535
Porte, détails:
ornementation du tympan   2.
chapiteaux des impostes   4.5.

Château du Lude
Logis sud – 1520–1530
Façade, corps de logis:
Allège de fenêtre   3.

LA CORNICHE

1

...La corniche est le lieu difficile du partage entre ciel et terre que doit
opérer, à un certain niveau, l'architecte. Son enflure dans les châteaux
de la Loire montre que le passage est loin d'être évident...

2

Détails des corniches:

Château de Blois
1. Aile François Ier – 1515–av. 1524
4. Aile Louis XII – 1498–1504

Château de Valençay
2. Aile nord – 1579
3. Pavillon d'entrée – entre 1540 et 1579

3

4

LE RÔLE EMBLÉMATIQUE DES LUCARNES

Lucarnes:

Château de Villegongis
Corps de logis – 1531–1538
1. Toiture est

Château d'Azay-le-Rideau
1518–1527
2. Toiture façade est de l'aile droite

Château de Blois
Aile Louis XII – 1498–1504
3. Toiture sur cour

Château de Chambord
Le Donjon – 1519–1539
4. Toiture nord-ouest

...Largement déployées comme un frontispice du château, les lucarnes servent d'enseigne à son propriétaire dont elles proclament bien haut le chiffre...

7 les nouveaux maîtres

L'histoire des châteaux de la Loire ne s'est pas terminée à Pavie. Si des milliers de touristes s'y pressent aujourd'hui, c'est qu'ils évoquent encore un monde qui ne nous est pas indifférent. L'image mentale, le «cliché» que le monde entier se fait de l'idée de «château» leur doit beaucoup: ne croit-on pas en voir les réminiscences à Pierrefonds, à Disneyland? Plus que le château de la Renaissance, trop altéré par les nécessités modernes et par un statut social déjà ambigu, c'est celui de la fin du XVe siècle, avec ses tours et ses créneaux, celui des derniers seigneurs, jouissant déjà du luxe et de la paix et bénéficiant encore de leurs prérogatives, qui excite notre imaginaire et notre nostalgie. Ce château modèle, on le voit apparaître très souvent à flanc de coteau ou au fond d'une allée, en Touraine, en Anjou et ailleurs, hérissé de faux mâchicoulis et de décors gothiques et il date, la plupart du temps, du milieu du XIXe siècle. Après 1830 et plus encore après 1848, les aristocrates et particulièrement les légitimistes, qui avaient occupé des postes importants sous la Restauration, se retrouvèrent exclus du monde politique parisien. La France connaissait, comme sous Louis XI, une expansion économique extraordinaire qui les enrichissait, même si, par tradition, ils se refusaient encore — contrairement aux Orléanistes — à participer au développement nouveau de l'industrie. Beaucoup se plurent à manifester leur opposition en se retirant sur leurs terres, dont ils tiraient d'importantes ressources, et en y faisant édifier des châteaux rétrogrades qui évoquaient, de façon spectaculaire, la dernière grande époque de la féodalité qui semblait ne jamais s'être interrompue, comme si l'alliance des rois avec la bourgeoisie, la domestication de la noblesse, le triomphe enfin du tiers état, n'avaient été qu'une parenthèse dans l'histoire de France. Ils renouaient avec leurs ancêtres là où le fil économique de la richesse fondée sur la seule propriété des terres s'était enchevêtré avec ceux de l'usure et du commerce, et, comme au XVIe siècle, l'architecture était pour eux le moyen provocant d'afficher leurs ambitions réactionnaires et de les faire partager par les populations voisines. Un architecte angevin, René Hodé, se fit une spécialité de cette renaissance à l'envers, répondant à cette nouvelle clientèle: des hommes politiques de droite, Falloux ou Mayaud, des familles nobles enrichies par la Restauration, le comte de Quatrebarbes, le marquis de Dreux Brézé; il construit pour le plus grand propriétaire de la région, président du Conseil Général, François de la Rochefoucauld Boyers, son chef-d'œuvre, le château de Challain-La-Potherie[49].

L'architecture de ces châteaux est primaire; les volumes simples, tout en façades, ne visent qu'à l'effet extérieur. Même si l'intérieur bénéficie parfois de conforts nouveaux, chauffage et papiers peints, ils recopient de façon mécanique et parfois caricaturale les grandes lignes du Plessis-Bourré, de Langeais, ou d'Azay-le-Rideau, en les simplifiant jusqu'à la platitude. Le répertoire du décor — qui délaisse ostensiblement toute référence italienne pour s'en tenir à la seule tradition française — est invariable et stéréotypé. Mais, comme l'écrit bien Christian Derouet[50] dans son article sur René Hodé, il s'agit «... d'une architecture idéale qui assemble tous les symboles du Moyen Âge... Sublimant leur déconfiture politique et trompant leur ennui par la construction de leurs châteaux, ces aristocrates aux champs réalisent sur leurs terres, là où personne ne peut leur en contester le droit, leur programme politique...». Quelques années plus tard, en 1858, pendant la période autoritaire du Second Empire, Viollet-le-Duc entreprit de reconstruire Pierrefonds, le vieux château de Louis d'Orléans, l'un des derniers grands feudataires qui s'opposa au roi de France. Si l'on peut à bon droit considérer que l'historicisme architectural du XIXe siècle est largement redevable aux châteaux de la Loire de la fin du XVe, il faut aussitôt affiner cette perspective cavalière par toutes les nuances que connaissait l'aristocratie française au XIXe siècle. Exemplaire à bien des égards, et pourtant très différente, est l'histoire des nouveaux propriétaires du château d'Azay-le-Rideau au XIXe siècle, les marquis de Biencourt[51].

La personnalité du premier d'entre eux, Charles de Biencourt – né en 1747 et mort en 1824 – s'illustra parmi les aristocrates progressistes qui, pendant la Révolution, sans jamais renier leur conviction royaliste, acceptèrent et même revendiquèrent plus de justice et de démocratie, les réformes égalitaires et l'abolition de leurs privilèges. Député de la noblesse aux États généraux, ce militaire de quarante-deux ans, maréchal de camp et chevalier de Saint-Louis, demanda l'union avec le tiers état et, en 1791, suivit avec civisme les ordres de l'Assemblée constituante.

Charles de Biencourt avait reçu de sa femme – fille d'un Conseiller d'État – une grande fortune qui lui permit d'acquérir en 1787 le château d'Azay-le-Rideau qui était tombé en deshérence. Le marquis de Biencourt était ce qu'on appelait un «curieux» et un «connaisseur»: archéologue, il collectionnait les antiques; bibliophile, homme avisé et généreux, il fut nommé maire d'Azay-le-Rideau en 1812. Royaliste toujours convaincu, il accueillit avec joie la Restauration, ce qui lui valut de perdre la mairie pendant les Cent Jours, et de la retrouver après Waterloo pour la garder jusqu'à sa mort, en 1824. Azay-le-Rideau connut alors le renouveau qu'apportait à ses châteaux la noblesse revivifiée, avec cette nuance qu'il avait fallu un aristocrate point trop traditionaliste pour s'intéresser au château d'un financier, marqué des signes suspects de la Renaissance italienne.

Les enfants de Charles de Biencourt devaient retrouver le droit chemin de l'opposition légitimiste sans pour autant délaisser le château qu'avait acquis leur père. Son fils avait servi dans la garde de Louis XVI et défendu le roi, le 10 août, aux Tuileries. Héritier du château et lui aussi maire d'Azay, c'est lui qui entreprit sa restauration. Il raconte avoir «...fait à la hâte les distributions intérieures avec le seul projet de rendre le château plus habitable, conservant le pavillon qui avait été construit pendant la longue maladie de son père et le faisant servir pour une salle de billard et la bibliothèque qui suivent le salon réparé provisoirement...»[52]. La salle de billard était devenue l'accessoire indispensable de toute demeure honorable, comme jadis le donjon. Le vieux donjon d'Azay-le-Rideau, qu'avaient respecté même les bâtisseurs de la Renaissance, il le remplace par une «...nouvelle tour... plus conforme au beau style de la Renaissance...», restaure les lucarnes et la voûte à caisson du grand escalier dont il refait les culs-de-lampe, les médaillons, qu'il complète des portraits des rois de France jusqu'à Henri IV. Cette restauration du château d'Azay fut l'œuvre de l'architecte Charles Dussillon en 1845 et fut poursuivie par le petit-fils de Charles de Biencourt, Armand, à qui nous devons d'avoir su achever le château de Gilles Berthelot par une dernière tourelle dans son angle nord-est, en 1856. Cette tourelle, établie sur le modèle de ses sœurs, remplaçait une échauguette gothique et ridiculement petite par laquelle on avait dû couturer l'angle inachevé. Ainsi enfin terminé, le château retrouvait une harmonie qui, pour être factice, n'en est pas moins heureuse; il faut saluer le goût d'Armand de Biencourt.

Celui-ci, qui avait également choisi la carrière militaire, fut légitimiste au point de démissionner après 1830 et, ayant épousé la riche héritière du prince de Montmorency-Tancarville, il fut de cette génération d'aristocrates qu'on vit donc revenir sur leurs terres y gérer leur fortune dans des châteaux remis à neuf. Armand de Biencourt mourut en 1862, laissant le château réaménagé et rempli d'œuvres d'art. Son fils Charles termina le destin typique de cette résurgence de la noblesse française par une catastrophe exemplaire: il fut l'un des administrateurs de l'Union Générale, cette banque catholique et nationaliste, qui draina l'argent de la droite et de l'extrême-droite sous la Troisième République avant de s'effondrer dans un krach retentissant en 1882. Avant la fin de cette année même, Azay-le-Rideau fut mis en vente, ainsi que ses meubles et ses collections. L'administrateur ruiné vit passer sa fortune à tenter de rembourser les créanciers de l'Union Générale et mourut en 1914 dans son appartement parisien où il écrivait un ouvrage d'histoire sociale, *Les Institutions et règlements de charité aux XVIe et XVIIe siècles*, tout en adhérant à l'Action française. Son merveilleux château, trop cher, restait sans acquéreur; la noblesse avait épuisé son crédit et les nouveaux riches préféraient le moderne. Il fut enfin vendu, une première fois en 1899, puis aussitôt une seconde fois en 1903, par adjudication, puis tout aussitôt une troisième fois en 1904. Mais cette fois-ci fut la dernière car c'est l'Etat, nouveau propriétaire des biens de la noblesse, qui en fit l'acquisition et qui en poursuivit dès lors l'entretien et les restaurations menées avec respect par le service des Monuments historiques. L'architecte Hardion nous a laissé de cette époque de superbes lavis des parties fragiles qu'il eut à refaire: les délicats reliefs des lucarnes et de l'escalier sculptés dans ce tuffeau friable et qui seront toujours des œuvres périssables.

La double appartenance, à la fois noble et bourgeoise, des châteaux de la Loire ordonna leur histoire encore au XIXe siècle. Azay revint à l'aristocratie, Chenonceaux, son cousin, resta dans la finance. En 1733, Louis-Henri, duc de Bourbon, le céda à Claude Dupin, fermier général, protégé de Samuel Bernard qui avait été le grand banquier de Louis XIV. Sa femme, Madame Dupin, en fit un lieu brillant où séjourna entre autres, en 1747, Jean-Jacques Rousseau. En 1864, la riche Madame Pelouze racheta Chenonceaux aux descendants des Dupin, y mena également une vie fastueuse, et fit restaurer le château de 1865 à 1878 par l'architecte Roguet[53]. En 1913, Chenonceaux devint la propriété de Gaston Menier, des «Chocolats Menier» et servit d'hôpital pendant la guerre de 1914–1918.

L'histoire la plus édifiante restera celle du château de Chaumont[54], où le mariage de l'aristocratie et de la finance ressuscita, à la fin du XIXe siècle, les fastes d'une cour digne de l'Ancien Régime. Ce mariage fut celui du prince Amédée de Broglie et de la jeune Marie Say, héritière du milliardaire de l'industrie du sucre, laquelle s'était, à seize ans, fait offrir le château par son père. Ainsi se réalisait le vieux rêve politique de l'alliance de l'argent et de la noblesse, que l'un et l'autre s'étaient interdit sous la monarchie et qui prenait corps sous la République, lorsque la noblesse n'avait plus rien à perdre ni à gagner. Le château de Chaumont revécut alors comme sous les rois: il fut entièrement restauré, réaménagé, chauffé, éclairé, meublé. Le village ancien fut rasé pour agrandir le parc et reconstruit autour d'une église toute neuve sur le bord de la Loire. Chaumont-sur-Loire fut, grâce

«Château de Chenonceaux» Lithographie d'Isidore Deroy – 1844 aux libéralités du prince et à la fortune des Say, un des tout premiers villages français à bénéficier de l'eau courante, de l'électricité dès 1898, et d'une salle de cinéma. L'eau et l'électricité alimentaient, aussi bien que les habitants, les écuries du prince, dont on peut encore admirer le luxe et le confort: quarante-deux chevaux et quinze équipages étaient entretenus dans des stalles capitonnées aux abreuvoirs en émail, aux cuivres rutilants, avec des palefreniers en livrée blanche aux armes de Broglie. Une cuisine spéciale confectionnait la mâche quotidienne des chevaux. A Chaumont, on fit venir par train spécial la Comédie française et l'Opéra de Paris, et par le « Victoria », paquebot particulier des Broglie, le maharadjah de Kapurthala, qui leur avait offert un éléphant.

Le château, remodelé par l'architecte Jules de La Morandière, gagnait, comme Azay, une silhouette plus gracile, un écrin de verdure de 2500 hectares, 33 km de routes d'accès, et quelques dépendances curieuses en ciment armé. Mais le krach de 1929, comme celui de l'Union Générale pour Azay-le-Rideau, ruinait ce nouveau rêve et obligea les Broglie à vendre Chaumont. L'Etat l'acquit en 1938.

Qu'advenait-il alors des châteaux des rois sous une république? Les châteaux royaux vacillèrent sous « l'infortune » de la monarchie et leur histoire se traîna de façon lamentable entre les voies diverses qu'elle était susceptible de suivre: la ruine totale et l'abandon, l'intégration à l'Etat et la récupération politique, la restauration enfin, et la réaffectation aux familles princières. Amboise, Blois, Chambord connurent ces aléas, et constituèrent symboliquement tout au long du XIXᵉ siècle un champ d'affrontement entre légitimistes, républicains modérés et radicaux en couvrant tout le spectre des nuances politiques.

L'histoire d'Amboise est la plus sinistre[55]. Lorsque le château fut donné par l'Empire au sénateur Roger Ducos, ce nouveau noble de l'aristocratie impériale constata «... le mauvais état et l'inutilité de plusieurs édifices dont le rétablissement exigerait des frais considérables, en commandant, en quelque sorte, la suppression... ». Le vieux château-fort était en ruine et la plus grande partie en fut détruite. La Restauration le rendit, en 1815, à la duchesse d'Orléans, puis à son fils, Louis-Philippe. La Seconde République le confisqua et, de 1848 à 1852, y exila Abd el Kader. La Troisième République, dans sa première époque encore monarchiste, le restitua aux Orléans qui le possèdent toujours.

Les bâtiments de Blois n'étaient pas mieux entretenus par la monarchie ruinée[56]. Le Régent avait voulu y exiler le Parlement, Louis XVI en avait ordonné la démolition. Le château servait à loger de vieux serviteurs de la monarchie, maigre récompense, et ruine assurée pour les toits et les murs non entretenus. Il connut alors des affectations civiles et militaires diverses:

projet de cimetière dans les jardins en 1777; caserne pour le «Royal Comtois» en 1788; don des bâtiments à la municipalité en 1810; projet d'y transférer la préfecture en 1825, la mairie en 1875... Entre ces desseins républicains naquit l'idée bonapartiste de le céder au Prince Impérial en 1860. Le don fut accepté mais ne devint jamais effectif: c'est la ville de Blois qui le possède encore et y a logé sa bibliothèque municipale et son musée des Beaux-Arts.

L'héritage de Chambord fut le plus encombrant de tous, et l'enjeu qu'il constitua fut également le plus exemplaire[57]. Il était lui aussi quasi ruiné. Deux affectations hautement symboliques s'affrontèrent dès la Révolution. On proposa en 1792 d'y installer une école gratuite, puis une colonie de Quakers, cité idéale de la démocratie et de la vertu à l'image américaine, se substituant au «repaire de vautours» et palais de stupre qu'en avait fait le maréchal de Saxe, puis un village modèle: «... Nous vous proposons donc d'ordonner que le cy-devant château de Chambord soit rayé et démoli en entier, que l'acquéreur des matériaux soit tenu de bâtir cinquante habitations composées de deux chambres, une écurie et un grenier...». A ces propositions généreuses, Bonaparte préféra l'installation de la 15e cohorte de la Légion d'Honneur avant de l'offrir, en 1806, au maréchal Berthier. En 1821, une souscription nationale était lancée pour le rendre à «l'enfant du miracle», le fils posthume du duc de Berry, héritier de la couronne. On entendit alors la voix corrosive du pamphlétaire tourangeau Paul-Louis Courier s'indigner – opposant la vertu des républicains à l'incapacité des aristocrates –: «... Douze mille arpents de terre enclos que contient le parc de Chambord, c'est un joli cadeau à faire à qui les saurait labourer!...»[58].

Il est tout à fait remarquable que le même mot «restauration» ait un sens politique et un autre en architecture. Au XIXe siècle, on vit bien la collusion des deux acceptions et l'on joua sur l'équivoque: retour à l'Ancien Régime pour certains, intégration de l'héritage monarchiste dans une république modérée pour d'autres qui eurent envers les châteaux royaux le même égard que les financiers du XVIe siècle. Ceux-ci avaient réussi, en imitant son architecture, à s'intégrer dans l'ordre féodal. L'historicisme du Second Empire, dans lequel la Renaissance était reconnue – au même titre que le Moyen Âge l'avait été dès 1820 – manifestait bien la nécessité de rassembler des valeurs hétéroclites, voire discordantes sous un nouveau régime politiquement œcuménique: il fallait aussi gérer l'héritage.

Le patrimoine national fut un autre champ de bataille où chacun prétendit affirmer sa prééminence et afficher ses privilèges en les inscrivant dans l'histoire et dans les monuments. Les théories des historiens et des archéologues, après avoir promu l'historicisme de la réconciliation nationale, firent place au nationalisme exacerbé de la fin du XIXe siècle et de l'avant-guerre de 1914. Ce fut – pour François Gebelin – l'époque «... des controverses sans fin touchant la part des Français et celle des étrangers dans la création de ces édifices...»[59]. Léon Palustre[60] s'employa à défendre nos frontières. Louis Courajod[61] soutenait l'Italie et l'Allemand Geymüller[62] remettait les architectes français à leur place d'artisans. Marius Vachon, en 1910, sous-titrait son livre sur la Renaissance française L'Architecture nationale et donnait comme titre au premier chapitre L'Essor national[63]. Il fallut la sérénité de l'après-guerre et l'intelligence de François Gebelin, en 1927, pour commencer d'émerger de cette érudition stérile et partisane. Il n'est pas évident que nous en soyons bien sortis; nous n'en sommes en tout cas pas sortis indemnes.

Les citoyens et les touristes sont aujourd'hui les légitimes propriétaires des châteaux de la Loire qu'ils assaillent pacifiquement en troupes serrées. Mais jouir de cet héritage n'est pas non plus innocent. Il est bon de savoir de quoi nous héritons et ce que nous admirons tant: l'image de quel pouvoir, l'émotion de quel ordre perdu nous aimons y rechercher, qui agit encore en nous comme un charme, l'enjeu que représente aussi l'ensemble de ces châteaux dans la politique nouvelle du patrimoine et du tourisme. Ces interrogations présentes, souvent inconscientes, font un devoir à l'historien de ces architectures non de les masquer ni d'y répondre avec complaisance, mais de donner au visiteur les moyens d'une appropriation critique, seule arme que nous ayons contre leurs merveilleux mensonges.

«Château de Chaumont»
Isidore Deroy, *La Loire et ses bords*, 1849

1

2

3

4

Château de Challain-la-Potherie
1848 – René Hodé, architecte

Pont menant au château   1.
Vue de la façade, côté parc   2.
Lithographie de A. Maugendre – v. 1860
Vues, de la rivière bordant le parc   3.4.

LES NOUVEAUX PROPRIÉTAIRES,

Château d'Azay-le-Rideau
travaux de restauration – dès 1845
Charles Dussillon, architecte

1. Vue, du parc «à l'anglaise»
2. Le château avant 1845
   lithographie d'I. Deroy
3. Vue de la tour nord
   remplaçant l'ancien donjon – 1854

... «Son fils a fait à la hâte les distributions intérieures avec le
seul projet de rendre le château plus habitable....
La nouvelle tour qui remplace le vieux donjon, et plus
conforme au beau style de la Renaissance, est entièrement
son ouvrage, comme le rétablissement des voûtes et des
lucarnes qui ont été rétablies dans le style primitif de la
construction, ainsi que tous les ornements du grand escalier
dont il a fait sculpter des culs-de-lampe et les médaillons
qui ornent la voûte de cet escalier, en y ajoutant la filiation
des rois et reines de France de Louis XI à Henri IV.
Les digues et chaussées qui défendent les jardins et le nouveau parc des inondations de la rivière, ont été également
faites par M. le Marquis de Biencourt. »...

Armand de Biencourt, *Notice sur Azay-le-Rideau*, 1855.

L'ARISTOCRATIE LIBÉRALE À AZAY-LE-RIDEAU

3

... «Je ne sais quoi d'une suavité singulière et d'une aristocratique sérénité transpire au château de Chenonceaux. Il est à
quelque distance du village qui se tient à l'écart respectueu-
sement. On le voit, au fond d'une grande allée d'arbres,
entouré de bois, encadré dans un vaste parc à belles
pelouses. Bâti sur l'eau, en l'air, il lève ses tourelles, ses
cheminées carrées. Le Cher passe dessous et murmure au
bas de ses arches dont les arêtes pointues brisent le courant.
C'est paisible et doux, élégant et robuste. Son calme n'a rien
d'ennuyeux et sa mélancolie n'a pas d'amertume.» ...

Gustave Flaubert,
Par les champs et les grèves, Touraine et Bretagne, 1847.

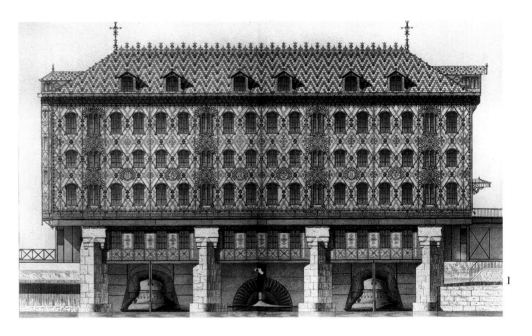

1

LES NOUVEAUX INDUSTRIELS À CHENONCEAUX

2

3

Noisiel-sur-Marne (Seine-et-Marne)
Usine Menier – 1871–1872 – Jules Saulnier, architecte   1.
Encyclopédie d'Architecture, 1874

Château de Chenonceaux
Logis Bohier et galerie sur le Cher
travaux de restauration – dès 1865
Felix Roguet, architecte
Vue ouest, de la rive gauche du Cher   2.
Vue est, des jardins de Diane de Poitiers   3.

1

... « Un bâtiment plus simple attire les yeux du voyageur par sa position magnifique et sa masse imposante ; c'est le château de Chaumont. Construit sur la colline la plus élevée du rivage, il encadre ce large sommet avec ses hautes murailles et ses énormes tours ; de hauts clochers d'ardoise les élèvent aux yeux et donnent à tout l'édifice cet air de couvent, cette forme religieuse de tous nos vieux châteaux, qui imprime un caractère plus grave aux paysages de la plupart de nos provinces. Des arbres noirs et touffus entourent de tous côtés cet ancien manoir, et de loin ressemblent à ces plumes qui environnaient le chapeau du roi Henri ; un joli village s'étend au pied du mont, sur le bord de la rivière, et l'on dirait que ses maisons blanches sortent du sable doré ; il est lié au château, qui le protège par un étroit sentier qui circule dans le rocher ; une chapelle est au milieu de la colline, les seigneurs descendaient et les villageois montaient à son autel ; terrain d'égalité, placé comme une ville neutre entre la misère et la grandeur qui se sont trop souvent fait la guerre. » ...

Alfred de Vigny, *Cinq-Mars* ..., 1826.

L'ALLIANCE DE LA NOBLESSE ET DE LA FINANCE À CHAUMONT

2

3

4

Château de Chaumont
travaux de restauration – dès 1847
Jules de La Morandière et
Paul-Ernest Sanson, architectes

1. Ecuries – 1878 – P.-E. Sanson
2. Vue du château des bords de la Loire
3. Vue du nord, lavis de P.-E. Sanson
4. Parc, pont de ciment – fin XIXᵉ s.

L'ÉTAT ET LES DEMEURES ROYALES

1

Château de Blois
Aile François Ier, façade des Loges

Vue de la façade restaurée, détail   1.
Relevé et projet de restauration,
lavis de Félix Duban – 1844   2.3.

2

... «Château de Blois. — Du côté du Nord, le château de Blois, dressé sur des murs formidables, présente une galerie à double arcade d'un charmant effet; là était la chambre d'Henri III. A côté se trouve son oratoire, coïncidence qui n'a rien de rare en soi-même, mais qui frappe ici, dans cette âme où la volupté s'aiguisait de religion, où la cruauté se ravivait à la peur. Quand nous eûmes passé sous une voûte tournante et traversé la place, nous entrâmes dans la cour intérieure du château. Il y avait grande joie: la garnison avait reçu une bouteille de vin par homme, et les soldats portaient des brocs pleins d'un liquide bleu et s'apprêtaient à le boire à la santé du monarque dont la fête leur occasionnait ce régal.»...

Gustave Flaubert,
Par les champs et les grèves, Touraine et Bretagne, 1847.

3

1

2

Château de Blois
Aile François Ier, façade des Loges:

Projet de restauration, détail   1.
lavis de Félix Duban – 1844
Vue sur l'échauguette   2.

1

... « A quatre lieues de Blois, à une lieue de la Loire, dans une
petite vallée fort basse, entre des marais fangeux et un bois
de grands chênes, loin de toutes les routes, on rencontre tout
à coup un château royal, ou plutôt magique. On dirait que,
contraint par quelque lampe merveilleuse, un génie de
l'Orient l'a enlevé pendant une des mille nuits et l'a dérobé
au pays du soleil pour le cacher dans ceux du brouillard
avec les amours d'un beau prince. Ce palais est enfoui
comme un trésor; mais à ses dômes bleus, à ses élégants
minarets, arrondis sur de larges murs ou élancés dans l'air,
à ses longues terrasses qui dominent les bois, à ses flèches
légères que le vent balance, à ses croissants entrelacés partout sur des colonnades, on se croirait dans le royaume de
Bagdad ou de Cachemire, si les murs noircis, leur tapis de
mousse et de lierre, et la couleur pâle et mélancolique du
ciel, n'attestaient un pays pluvieux. » ...

Alfred de Vigny, *Cinq-Mars* ..., 1826.

2

Château de Chambord
travaux terminés fin XVIIᵉ s.
aménagement des jardins et
canalisation du Cosson – milieu XVIIIᵉ s.

Vue sud-est, côté porte Royale 1.
Lithographie de Ch. Pensée – 1845 2.
Vue nord-ouest, côté jardin 3.

CHAMBORD ET SON PARC...

1

... «Chambord n'a qu'un escalier double, afin de descendre et monter sans se voir: tout y est fait pour les mystères de la guerre et de l'amour... De loin l'édifice est une arabesque; il se présente comme une femme dont le vent aurait soufflé en l'air la chevelure; de près cette femme s'incorpore dans la maçonnerie et se change en tours; c'est alors Clorinde appuyée sur des ruines. Le caprice d'un oiseau volage n'a pas disparu; la légèreté et la finesse des traits se retrouvent dans le simulacre d'une guerrière expirante. Quand vous pénétrez en dedans, la fleur de lis et la salamandre se dessinent dans les plafonds. Si jamais Chambord était détruit, on ne trouverait nulle part le style premier de la Renaissance, car à Venise il s'est mélangé.

Ce qui rendait à Chambord sa beauté, c'était son abandon: par les fenêtres j'apercevais un parterre sec, des herbes jaunes, des champs de blé noir: retracements de la pauvreté et de la fidélité de mon indigente patrie. Lorsque j'y passai, il y avait un oiseau brun de quelque grosseur qui volait le long du Cosson, petite rivière inconnue.»...

Château de Chambord
Vue du parc   1.
Vue du canal du Cosson   2.

Chateaubriand, *Vie de Rancé*, 1844.

2

CHÂTEAUX CITÉS OU REPRÉSENTÉS

détruits ou en ruines . . . .   o
privés ou fermés pour restauration   ●
visites saisonnières . . . . . .   ●●
visites toute l'année . . . .   ●●●

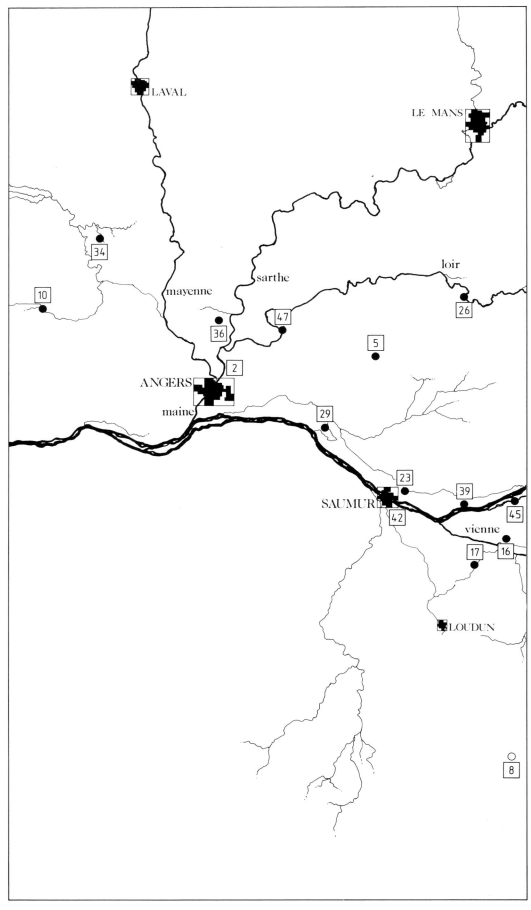

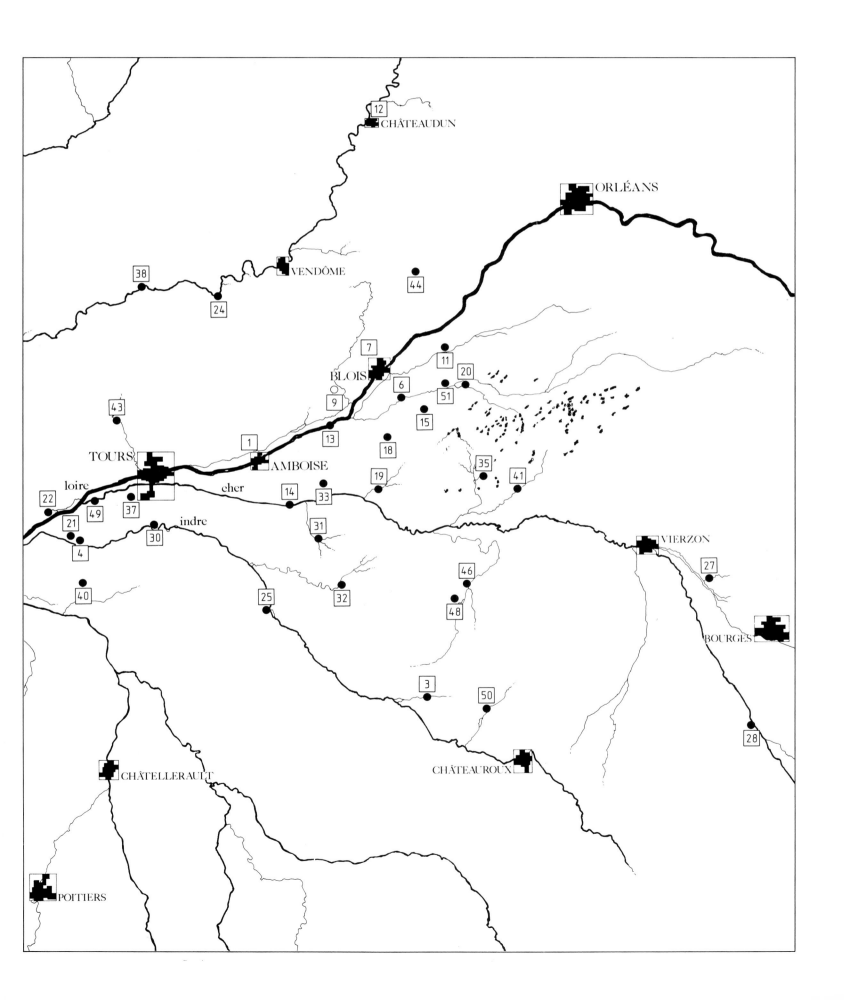

CHÂTEAUDUN

12

ORLÉANS

38

VENDÔME

24

44

7

11

BLOIS

20

9

6

51

43

15

TOURS

1

18

loire

AMBOISE

22

cher

19

35

49

14

41

37

33

21

indre

4

30

31

VIERZON

40

25

32

46

27

48

BOURGES

3

50

28

CHÂTELLERAULT

CHÂTEAUROUX

POITIERS

NOTES

1. Paul CHAUSSARD, *La Marine de Loire*, Roanne, 1980.

2. *Ordonnances des rois de France, règne de François Ier*, t. II, p. 78, No 119 (Lettres de mai 1517), cité par Roger DION, *Le Val de Loire, étude de géographie régionale*, Tours, 1934 (réimpr., Marseille, 1978).

3. STRABON, *Géographie*, Livre IV, cité par Roger DION, dans op. cit.

4. Carlo PEDRETTI, *Leonardo da Vinci, the Royal Palace at Romorantin*, Cambridge (Mass.), 1972.

5. Arch. Dép. d'Indre-et-Loire, Fonds d'Azay-le-Rideau, E. 980 (Comptes de pierre: fol. 8 v° sqq.).
    Sur ces questions, voir aussi l'article de Jacqueline MELET-SANSON, *Provenance des matériaux utilisés pour la construction des édifices publics de la ville d'Amboise aux XVe et XVIe siècles*, dans *98e Congrès national des Sociétés savantes*, Saint-Etienne, 1973, section Archéologie.

6. Cité dans Claude LAUNAY, *Quand les rois de France étaient en Val de Loire*, Paris, 1978.

7. Roger DION, *Le Val de Loire, étude de géographie régionale*, Tours, 1934 (réimpr., Marseille, 1978).

8. Roger DION, op. cit., Livre II, Les levées de la Loire.

9. Laurence BERLUCHON, *Jardins de Touraine*, Tours, 1940.

10. Abbé Casmir CHEVALIER, *La ville d'Azay-le-Rideau au XVe et au XVIe siècle*, dans *Bulletin archéologique de Touraine*, t. II (1873).

11. Ibid.

12. Charles LOYSEAU, *Traité des Seigneuries*, Livre IV, ch. 25, De la justice, Paris, 1608.

13. Louis HAUTECOEUR, *Histoire de l'architecture classique en France*, t. I: La formation de l'idéal classique, 1ère partie, La première Renaissance, Paris, 1963.

14. J. MAURICE, *Azay-le-Rideau et sa région à travers l'histoire*, Tours, 1946.

15. Abbé Casmir CHEVALIER, op. cit.

16. Cité par J. MAURICE, op. cit.

17. Michel MELOT et Jacqueline MELET-SANSON, *Le Château de Chaumont*, Paris 1980.

18. Sur cette question, cf. Michel MELOT, *Politique et architecture, essai sur Blois et le Blésois sous Louis XII*, dans *Gazette des Beaux-Arts*, décembre 1967.

19. MACHIAVEL, *Le Prince*, ch. XX, Si les forteresses et toutes les autres choses que les Princes font chaque jour leur sont utiles ou non, 1512 (publ. 1531).

20. Claude de SEYSSEL, *La Grande Monarchie de France*, Paris, 1519; Claude de SEYSSEL, *Histoire singulière du roy Louys douziesme...*, Paris, 1558; Charles de GRASSAILLE, *Regalium Franciae Libri duo...*, Lyon, 1538.

21. Cette réception a été racontée en paticulier par Jean d'AUTON et par Claude de SEYSSEL. On en trouve un récit spécialement détaillé dans le *Ceremonial françois*, de Théodore GODEFROY, édité par Denys Godefroy, Paris, 1649, t. II.

22. On trouve ces détails dans les *Comptes des menus plaisirs du roi Louis XII*, conservés à la Bibliothèque nationale, en particulier mss. fr. 2926 et 2927 (années 1503–1504).

23. LE ROUX de LINCY, *Détails sur la vie privée d'Anne de Bretagne*, dans *Bibliothèque de l'Ecole de Chartes*, t. XI (1849).

24. FLEURANGES (Robert de la MARCK), *Mémoires*, dans *Choix de chroniques et mémoires sur l'histoire de France...* par J.A.C. BUCHON, Paris, 1836, t. XIII.

25. Michel MELOT, *Blois au XVI⁰ siècle*, dans *Blois, la ville, les hommes*, Blois, 1974.

26. On trouve ces mentions (celles-ci respectivement en juillet 1502 et avril 1506) et beaucoup d'autres sur la vie quotidienne de Louis XII à Blois dans la *Chronique* de Jean d'AUTON, rééditée par le bibliophile Paul L. Jacob, Paris, 1834.

27. Sur la question de la participation de Léonard de Vinci à la conception de Chambord, il est utile de consulter: Jean GUILLAUME, *Léonard de Vinci et l'architecture française: le problème de Chambord*, dans *Revue de l'Art*, 1974, No 25, ainsi que: Ludwig Heinrich HEYDENREICH, *Leonardo da Vinci, Architect of Francis I*, dans *Burlington Magazine*, t. 94, octobre 1952, et Carlo PEDRETTI, *A Chronology of Leonardo da Vinci's Architectural Studies after 1500*, Genève, 1962.
Voir en dernier lieu: Jean GUILLAUME, Léonard et l'architecture, dans *Léonard de Vinci, ingénieur et architecte*, Montréal, 1987.

28. Bernard CHEVALIER, *Tours ville royale, 1356–1520*, Paris-Louvain, 1975.

29. Georges BRICARD, *Un serviteur et compère de Louis XI, Jean Bourré, seigneur du Plessis, 1424–1506*, Paris, 1893.

30. Ibid.

31. Bernard CHEVALIER, op. cit.

32. Jean d'AUTON, *Chroniques de Louis XII*, éd. De Maulde, 1889, t. IV.

33. Cité par Alfred SPONT, *Semblançay, la bourgeoisie financière au début du XVI⁰ siècle*, Paris, 1895.

34. Bernard CHEVALIER, op. cit.

35. Paul VITRY, *Tours et les Châteaux de Touraine*, coll. Les Villes d'Art célèbres, Paris, 1912.

36. Jules LOISELEUR, *Étude sur Gilles Berthelot constructeur d'Azay-le-Rideau et sur l'administration des finances de son époque*, dans *Mémoires de la Société Archéologique de Touraine*, t. XI (1859).

37. Archives départementales d'Indre-et-Loire, Fonds d'Azay-le-Rideau, E. 977, Cahier, 7 ff. *Frais avant l'achat définitif d'Azay...*

38. Archives départementales d'Indre-et-Loire, série E, Fonds d'Azay-le-Rideau, E.979, 27 ff. et E.980, 39 ff.

39. Jean GUILLAUME, *Azay-le-Rideau et l'architecture française de la Renaissance*, dans *Les Monuments historiques de la France*, 1976, No 5.

40. Ibid.

41. Jean GUILLAUME, *Chenonceaux avant la construction de la galerie. Le château de Thomas Bohier et sa place dans l'architecture de la Renaissance*, dans *Gazette des Beaux-Arts*, janvier 1969.

42. Sur le problème du plan initial de Chambord, cf. Jean MARTIN-DEMEZIL, *Chambord*, dans *Congrès Archéologi-*

que de France, 1981, Paris, 1986, p. 20: «Autant de raisons pour admettre l'hypothèse que le ‹somptueux édifice› confié aux soins de l'équipe Pontbriand en 1519 n'ait alors compris que le ‹donjon› et lui seul...».

43. Jean GUILLAUME, *Le Gué-Péan*, dans *Congrès Archéologique de France, 1981*, Paris, 1986.

44. Cf. Jean GUILLAUME, dans *Le Château en France*, ouvrage collectif sous la direction de Pierre BABELON, Paris, 1986.

45. Sur ce problème, cf. *L'escalier dans l'architecture de la Renaissance, Colloque du Centre d'Études de la Renaissance*, Tours, 1979, édité à Paris, 1985.

46. C'est la thèse que défend Jean GUILLAUME dans son chapitre: La première Renaissance, 1495–1525, de l'ouvrage collectif *Le Château en France*, Paris, 1986.

47. Cf. n. 27.

48. Jean GUILLAUME, L'Ornement italien en France, position du problème et méthode d'analyse, dans *La scultura decorativa del primo Rinascimento*, Pavie, 1983 (Actes du colloque de 1980).

49. Christian DEROUET, *Architecture d'hier: grandes demeures angevines au XIX⁰ siècle. L'Œuvre de René Hodé entre 1840 et 1870*, dans *Les Monuments historiques de la France*, 1976, No 4.

50. Ibid.

51. Pierre LEVEEL, *Les Biencourt d'Azay*, dans *Bulletin de la Société Archéologique de Touraine*, t. XXXVII, 1974.

52. Armand de BIENCOURT, Notice demandée pour l'ouvrage sur la Touraine édité par M. Mame, Arch. Dép. d'Indre-et-Loire, E.1040, citée par Pierre LEVEEL, op. cit.

53. Abbé Casimir CHEVALIER, *La Restauration du Château de Chenonceaux, 1864–1878*, Lyon, 1878.

54. Jacques de BROGLIE, *Histoire du Château de Chaumont (980–1943)*, Paris, 1944.

55. Pierre de VAISSIÈRE, *Le Château d'Amboise*, Paris, 1935.

56. Frédéric et Pierre LESUEUR, *Le Château de Blois, notice historique et archéologique*, Paris, 1921, ch. VI, L'Abandon.

57. Jean MARTIN-DEMEZIL, *Chambord*, dans *Congrès Archéologique de France, 1981*, Paris, Société Française d'Archéologie, 1986.

58. Paul-Louis COURIER, *Simple discours de Paul-Louis, vigneron de la Chavonnière... pour l'acquisition de Chambord*, 1821.

59. François GEBELIN, *Châteaux de la Renaissance*, Paris, 1927.

60. Léon PALUSTRE, *L'Architecture de la Renaissance*, Paris, 1892.

61. Louis COURAJOD, *Leçons professées à l'École du Louvre*, publ. par H. Lemonnier et A. Michel, t. II, Origines de la Renaissance, Paris, 1899–1903, 3 vol.

62. Heinrich von GEYMUELLER, *Die Baukunst der Renaissance in Frankreich*, Stuttgart, 1898–1901, 2 vol.

63. Marius VACHON, *La Renaissance française, l'architecture nationale, les grands maîtres maçons*, Paris, 1910.

RÉFÉRENCES DES CITATIONS

Pierre de RONSARD, Élégie sur la forêt de Gastine, *1584 (p. 20).*

Victor HUGO, En Voyage, Alpes et Pyrénées, *1843, première éd. dans les* Œuvres inédites de Victor Hugo, *Hetzel, 1890, t. VI (p. 22).*

Joachim du BELLAY, Les Regrets, *XXXI, 1558 (p. 24).*

Eugène VIOLLET-LE-DUC, Entretiens sur l'architecture, *Onzième entretien, 1872 (p. 27).*

Jerôme LIPPOMANO, Voyage de Jerôme Lippomano..., *1577, dans* Relations des Ambassadeurs vénitiens sur les affaires de France, *1838, t. II (p. 31).*

Alfred de VIGNY, Cinq Mars, ou une conjuration sous Louis XIII, *1826 (p. 33).*

Chapitre III

Relation d'une visite du Duc de Bretagne au Roi René, manuscrit des Archives nationales P 1334, fol. 223 v°, dans Albert LECOY DE LA MARCHE, *Le Roi René, sa vie, son administration, ses travaux artistiques et littéraires...*, 1875, t. 2 (p. 60).

Philippe de COMMYNES, *Mémoires*, Livre VI, 1498, éd. de la Société de l'Histoire de France, 1840–1847, t. II (p. 63).

Jean d'AUTON, *Chroniques*, 1502, dans Paul L. JACOB, *Chroniques publiées d'après le manuscrit de la bibliothèque du roi...*, 1834, t. II (p. 64).

Phlippe de COMMYNES, *Mémoires*, 1498, Livre VIII, dans op. cit. (p. 66).

Jean d'AUTON, *Chroniques*, 1502, dans op. cit., t. II (p. 69).

Jean d'AUTON, *Chroniques*, 1506, dans op. cit., t. III (p. 70).

BRANTÔME, *Vie des Dames illustres*, première partie, *Discours sur la Reyne Anne de Bretagne*, dans Ludovic LALANNE, *Œuvres complètes de Pierre de Bourdeilles, seigneur de Brantôme*, 1867, t. VII (p. 76).

CHARLES VIII, *Lettre de Naples*, le 28 mars 1495, dans P. PELICIER, *Lettres de Charles VIII*, 1903, t. IV (p. 81).

André NAVAGERO, *Voyage d'André Navagero en Espagne et en France*, 1528, dans op. cit. (p. 83).

BRANTÔME, *Vie des Hommes illustres et des Grands Capitaines français*, dans op. cit. t. III (p. 85).

Chapitre VII

Armand de BIENCOURT, *Notice sur Azay-le-Rideau* demandée par M. de Sourdeval en vue de la publ. de *La Touraine*, 1855, Archives dép. d'Indre-et-Loire, E 1040 (p. 169).

Gustave FLAUBERT, *Par les champs et par les grèves, Touraine et Bretagne*, 1847 (p. 170 et 175).

Alfred de VIGNY, *Cinq Mars...*, 1826 (p. 172 et 178).

CHÂTEAUBRIAND, *Vie de Rancé*, Livre II, 1844 (p. 180).

Chapitre I

Charles d'ORLÉANS, *Poésies*, éd. J.-M. Guichard, 1843 (p. 10).

STENDHAL, *Mémoires d'un touriste*, 1838 (p. 12).

Pierre de RONSARD, *Le Voyage de Tours*, dans *Les Amours*, Livre II, 1553 (p. 15).

Honoré de BALZAC, *Le Lys dans la Vallée*, 1839 (p. 16).

André NAVAGERO, *Voyage d'André Navagero en Espagne et en France...*, 1528, dans *Relations des Ambassadeurs vénitiens sur les affaires de France*, 1838 (p. 18).

BIBLIOGRAPHIE

LAUNAY Claude, *Quand les rois de France étaient en Val de Loire*, Paris 1978.
LEFRANC Abel, *La vie quotidienne au temps de la Renaissance*, Paris 1938.
RAIN Pierre, *Les Chroniques des Châteaux de la Loire*, Paris 1921.

OUVRAGES TOURISTIQUES

Guide du Val de Loire mystérieux, Les Guides noirs, Paris 1968.
BOURNON Fernand, *Blois, Chambord et les Châteaux du Blésois*, Paris 1908.
BRIAIS Bernard, *La Vallée de l'Indre*, Tours 1980.
DEBRAYE Henry, *En Touraine et sur les bords de la Loire*, Grenoble 1929.
GUERLIN Henri, *La Touraine...*, Paris 1945.
LANOUX Armand, *Itinéraire Paris-Val de Loire*, Paris 1950.
RANJARD R., *La Touraine archéologique, guide du touriste en Indre-et-Loire*, Tours 1930 (9ᵉ éd., Mayenne 1986).
TERRASSE Charles, *L'art des châteaux de la Loire*, Paris 1927.
VITRY Paul, *Tours et les châteaux de Touraine*, Paris 1912.

OUVRAGES GÉNÉRAUX

CHÂTEAUX DE LA LOIRE

Le Château en France, sous la direction de Jean-Pierre BABELON, Paris 1986, en particulier le chapitre: La première Renaissance, 1495–1525, par Jean GUILLAUME.
BLUNT Anthony, *Art and Architecture in France, 1500–1700*, London 1953 (trad. fr., Paris 1983).
GEBELIN François, *Les Châteaux de la Renaissance*, Paris 1927.
– *Les Châteaux de la Loire*, Paris 1957.
HAUTECOEUR Louis, *Histoire de l'architecture classique en France*, tome premier, 1ᵉʳᵉ partie: La première Renaissance, Paris 1963.
JEANSON Denis, *La Maison seigneuriale du Val de Loire*, Paris 1981.
PRINZ W. et KECKS R. G. *Das französische Schloss der Renaissance, Form und Bedeutung der Architektur*, Berlin 1985.

VAL DE LOIRE

BABONAUX Yves, *Villes et régions de la Loire moyenne, Touraine, Blésois, Orléanais, fondements et perspectives géographiques*, Paris 1966.
CHEVALIER Bernard, *Tours, ville royale, 1356–1520*, publ. de la Sorbonne, Paris-Louvain 1975.
DION Roger, *Le Val de Loire, étude de géographie régionale*, Tours 1934 (réimpr., Marseille 1978).
PÉROUSE de MONTCLOS, Jean-Marie, *Architectures en Région Centre, Val de Loire, Beauce, Sologne, Berry, Touraine*, Le Guide du Patrimoine, Paris 1988.

VIE QUOTIDIENNE

BERLUCHON Laurence, *Jardins de Touraine*, Tours 1940.
CLOULAS Ivan, *La vie quotidienne dans les châteaux de la Loire au temps de la Renaissance*, Paris 1983.

MONOGRAPHIES

Abréviations
C.A.: Congrès archéologiques de France, publiés par la Société française d'archéologie
– 1925: LXXXVIIIᵉ session, tenue à Blois.
– 1931: XCIVᵉ session, tenue à Bourges.
– 1949: CVIᵉ session, tenue à Tours.
– 1964: CXXIIᵉ session, Anjou
– 1981: CLXXIXᵉ session, Blésois et Vendômois.
P.M.: Collection des Petites Monographies des grands édifices de la France, éd. Laurens (Lanore successeur), Paris.
GEBELIN: François GEBELIN, *Les Châteaux de la Renaissance*, Paris 1927.

AMBOISE
GEBELIN, p. 37–39.
VAISSIÈRE Pierre (de), *Le Château d'Amboise*, Paris 1925.

AZAY-LE-RIDEAU
P.M., Henri GUERLIN, *Les Châteaux de Touraine...*, 1922.
C.A., 1949, p. 278–301, par Pierre-Marie AUZAS.
GEBELIN, p. 51–53.
GUILLAUME Jean, *Azay-le-Rideau et l'architecture française de la Renaissance* dans *Les Monuments historiques de la France*, 1976, No 5.
LEVEEL Pierre, *Azay-le-Rideau*, Guides Morancé, Bellegarde s.d.
MAURICE Jules, *Azay-le-Rideau et sa région à travers l'histoire*, Tours 1971.

BLOIS
C.A. 1925, p. 9–189 par le Dr Frédéric LESUEUR.
GEBELIN, p. 55–56.
LESUEUR Frédéric et Pierre, *Le Château de Blois, notice historique et archéologique*, Paris 1914–1921.
LESUEUR Frédéric Dr, *Le Château de Blois*, Paris 1970.

BURY
GEBELIN, p. 65–67.
GARCZYNSKA-TISSIER DE MALLERAIS Martine, *Le Château de Bury*, dans *Information d'histoire de l'art*, 1965.

CHAMBORD
GEBELIN, p. 68–74.
C.A. 1925, p. 487–494, par Paul VITRY.
P.M. 1931, par Henri GUERLIN.

GUILLAUME Jean, *Léonard de Vinci et l'architecture française: le problème de Chambord*, dans *Revue de l'Art*, 1974, No 25.
PRINZ W., *Schloss Chambord und die Villa Rotonda in Vincenza*, Berlin 1980.
C.A. 1981, p. 1–115 par Jean MARTIN-DEMEZIL.
METTERNICH Wolfgang, *Schloss Chambord an der Loire – Der Bau von 1517–1524*, Darmstadt 1985.

CHÂTEAUDUN
MARTIN-DEMEZIL-CHATENET Monique, *Le Château de Châteaudun*, dans *Information d'histoire de l'art*, 1970.
NICOT Guy, *Le Château de Châteaudun*, dans *Les Monuments historiques de la France*, 1977, No 5.

CHAUMONT
C.A. 1925, p. 454–469 par le Dr Frédéric LESUEUR.
BOSSEBOEF Louis, *Le Château de Chaumont dans l'histoire et les arts*, Tours 1906.
BROGLIE Jacques de, *Histoire du Château de Chaumont*, Paris 1944.
MELOT Michel et MELET-SANSON Jacqueline, *Le Château de Chaumont*, Paris 1980.

CHENONCEAUX
C.A., 1949, p. 226–230 par Marcel AUBERT.
P.M. 1928, par Charles TERRASSE.
GEBELIN, p. 81–86.
CHEVALIER Casimir, *Histoire de Chenonceaux*, Lyon 1868.
– *Le Château de Chenonceaux*, Tours 1882.
GUILLAUME Jean, *Chenonceaux avant la construction de la Galerie, le château de Thomas Bohier et sa place dans l'architecture de la Renaissance*, dans *Gazette des Beaux-Arts*, janvier 1969.

CHINON
C.A. 1949, p. 343–363 par René CROZET.
P.M. 1963, par Eugène PEPIN.

L'ISLETTE
GEBELIN, p. 144–145.
C.A., 1949, p. 273–277 par Pierre-Marie AUZAS.

FOUGÈRES S/BIÈVRE
C.A. 1925, p. 470–479, par Marcel AUBERT.
C.A. 1981, p. 197–201, par Monique CHATENET.

GAILLON
CHIROL, *Un premier foyer de la Renaissance, le château de Gaillon*, Paris 1952.
WEISS Roberto, *The Castle of Gaillon in 1500–1510*, dans *Journal of the Warburg and Courtauld Institutes*, 1953.

Le GUÉ-PÉAN
C.A. 1981, p. 244–258, par Jean GUILLAUME.

JOSSELIN
P.M., 1954, par Roger GRAND.

LANGEAIS
C.A. 1949, p. 378–400 par le Dr Frédéric LESUEUR.
P.M. 1922, par Henri GUERLIN (Les Châteaux de Touraine, Luynes, Langeais, Ussé, Azay).

LOCHES
C.A. 1949, p. 111–125, par Jean VALLERY-RADOT.
P.M. 1954, par Jean VALLERY-RADOT.

LUYNES
P.M. 1922 par Henri GUERLIN (Les châteaux de Touraine, Luynes, Langeais Ussé, Azay).

La MORINIÈRE
C.A. 1981, p. 299–302, par Annie COSPEREC.

Le MOULIN
C.A. 1925, p. 190–202, par Marcel AUBERT.

NANTES
DERÉ Anne-Claire, *Anne de Bretagne et son château de Nantes*, dans *Bulletin de la Société archéologique et historique de Nantes et de Loire-Atlantique*, N° 119, 1983.

ROMORANTIN
PEDRETTI, *Leonardo da Vinci, the Royal Palace at Romorantin*, Cambridge, Mass. 1972.
GUILLAUME Jean, *Léonard de Vinci et l'architecture française: la villa de Charles d'Amboise et le château de Romorantin*, dans *Revue de l'Art*, 1974, No 25.

SAINT-AIGNAN s/CHER
GEBELIN, p. 160–161.
C.A. 1981, p. 337–355, par Françoise BOUDON.

TALCY
C.A. 1925, p. 495–508, par le Dr Frédéric LESUEUR.

USSÉ
GEBELIN, p. 172–173.
C.A. 1949, p. 326–341, par Jean VALLERY-RADOT.
P.M. 1922, par Henri GUERLIN (Les Châteaux de Touraine: Luynes, Langeais, Ussé, Azay).

VALENÇAY
GEBELIN, p. 176.
P.M. 1930, par René CROZET.

VILLEGONGIS
GEBELIN, p. 180.

BIOGRAPHIES

Jacques de BEAUNE DE SEMBLANÇAY
SPONT Alfred, *Semblançay, la bourgeoisie financière au début du XVIᵉ siècle...*, Paris 1895.

Jean BOURRÉ
BRICARD Georges, *Jean Bourré, seigneur du Plessis*, Paris 1893.

Jacques COEUR
POULAIN Claude, *Jacques Coeur ou les rêves concrétisés*, Paris 1982.

Le Roi RENÉ
LECOY de la MARCHE Albert, *Le Roi René, sa vie, son administration, ses travaux artistiques et littéraires*, 2 vol., Paris 1875.
LEVRON Jacques, *Le bon Roi René*, Paris 1973.

LOUIS XI
KENDALL Paul Murray, *Louis XI... l'universelle araigne...*, Paris 1974.

LOUIS XII
QUILLIET Bernard, *Louis XII*, Paris 1986.
THIBAUT Pascale, *Louis XII: images d'un roi...*, catalogue d'exposition, Château de Blois, 1987–1988

FRANÇOIS Iᵉʳ
GUERDAN, René, *François Iᵉʳ, le roi de la Renaissance*, Paris 1976.
HACKETT Francis, *François Iᵉʳ*, Paris 1937.
JACQUART Jean, *François Iᵉʳ*, Paris 1981.
LECOQ, Anne-Marie, *François Iᵉʳ, imaginaire, symbolique et politique à l'aube de la Renaissance française*, Paris 1987.

ANNE DE BRETAGNE
LEROUX de LINCY, *Vie de la Reine Anne de Bretagne...*, Paris 1860, 4 vol.
MARKALE Jean, *Anne de Bretagne*, Paris 1980.

INDEX DES NOMS CITÉS

TABLE DES ILLUSTRATIONS

©
Toutes les prises de vues des sites et des édifices sont des photographies originales de:
– Michel Saudan
  et
– Lionel Saudan (pour les illustrations: 26.1, 50.1, 100.1, 139.1, 160, 170.2 et 173.4)

DESSINS ET RELEVÉS – ESTAMPES

TAPISSERIES

OUVRAGES ENLUMINÉS

TRAITÉS – OUVRAGES ILLUSTRÉS

DOCUMENT D'ARCHIVES

TABLE DES MATIÈRES